la alargada Sombra del Amor

Mathias Malzieu

la alargada Sombra del Amor

Traducción de
Sofía Tros de Ilarduya

RESERVOIR BOOKS
MONDADORI

Esta obra se ha beneficiado del P.A.P. GARCÍA LORCA, Programa de Publicación del Servicio Cultural de la Embajada de Francia en España, y CULTURESFRANCE.

La alargada sombra del amor

Primera edición en Argentina bajo este sello: octubre de 2010
Primera edición para Centroamérica: septiembre, 2010
Primera edición en México: enero, 2011
Segunda reimpresión: marzo, 2011
Tercera reimpresión: octubre, 2011
Cuarta reimpresión: octubre, 2011
Quinta reimpresión: septiembre, 2013

Título original: *Maintenant qu'il fait tout le temps nuit sur toi*

D. R. © 2005, Éditions Flammarion
D. R. © 2005, Mathias Malzieu

D. R. © 2010, de la presente edición en castellano para todo el mundo:
Random House Mondadori, S.A.
Travessera de Gràcia, 47-49. 08021 Barcelona

D. R. © 2010, Sofía Tros de Ilarduya Guerendiain, por la traducción

D. R. © 2010, Editorial Sudamericana S.A.®
Humberto I, 555, Buenos Aires, Argentina
Publicado por Editorial Sudamericana S.A.® bajo el sello Mondadori
con acuerdo de Random House Mondadori S.A.
www.rhm.com.ar

D. R. © 2013, derechos de edición mundiales en lengua castellana:
Random House Mondadori, S. A. de C. V.
Av. Homero núm. 544, colonia Chapultepec Morales,
Delegación Miguel Hidalgo, C.P. 11570, México, D. F.

www.megustaleer.com.mx

Comentarios sobre la edición y el contenido de este libro a:
megustaleer@rhmx.com.mx

ISBN 978-607-310-210-0

Impreso en México / *Printed in Mexico*

Para mi padre y mi hermana,
en recuerdo de mi madre

Os diré algo sobre la cuestión de las historias. No son únicamente un entretenimiento, no os engañéis. Son todo lo que sabemos, daos cuenta, todo lo que sabemos para combatir la enfermedad y la muerte. Si no tenéis historias, no tenéis nada.

LESLIE M. SILKO

I

¿Hace demasiado frío allá arriba donde estás? Dime: ¿sabes que hay flores que adornan tu cielo? ¿Sabes que tendremos que cortar el árbol que tanto te gustaba? ¿Y sabes que el viento agita los postigos de la cocina y sacude tu sombra sobre el embaldosado?

Ahora que siempre es de noche para ti.

Todavía recibes cartas, las dejamos encima de tu ropa, que sigue doblada. Si quieres, puedo enviarte un trocito de España, una buena botella de champán y dos o tres libros. Sé que podrás disfrutar de mis regalos ahora que los médicos te han dejado en paz con sus tubos en la nariz y en la tripa y ya no tienes que forzarte a comer ni a coger el teléfono.

Ahora que siempre es de noche para ti.

¿Has ido a esconderte bajo una piedra, en una fuente de tartas, en un recién nacido, en una tela, en un huevo, en un bordado? ¿Y qué puedes decirme ahora que siempre es de noche?

Dime, ¿te sientes mejor? Dime, ¿es ligero como una burbuja eso de dejar sin más tu cuerpo ahí, igual que una prenda estropeada que ya no puedes ponerte? Se acabó ese peso que aplastaba tu sonrisa, que aplastaba tu vientre, que te aplastaba. ¿Pudiste escapar? Con tu sonrisa doblada y guardada en el bolsillo ahora que siempre es de noche para ti.

En casa todo parece haber caducado, hasta los yogures de frutas que conservamos en la nevera saben a marchito. No tenemos fuerzas para seguir adelante, por más que nos metamos gaseosa fresca en el esófago como una tormenta de azúcar: nada. Un cementerio más, la noche, el frío y otra capa de noche. Nosotros no vemos nada, ya no te vemos, vamos a ciegas, sabemos tan poco... Caminamos por la noche y no te encontramos, claro que todas las noches se confunden; noches negras, recias como una tela, pocas estrellas, todo se parece en la oscuridad.

Es cierto que están los recuerdos, pero alguien los ha electrificado y conectado a nuestras pestañas, y en cuanto nos vienen a la cabeza, nos queman los ojos.

Ahora que siempre es de noche para ti.

Te fuiste a las 19.30. Hasta el último momento te acompañaron las rosas de color naranja recién cortadas que decoraban tu mesilla de noche y te ayudaron los sorbitos de agua con limón, pero no han sido suficiente. Tampoco los tubos y las agujas clavadas en tus brazos. Las 19.30, «se acabó». En el reloj de tu corazón, la aguja pequeña ya nunca volverá a subir hasta las doce.

Detrás de la puerta de la habitación nos espera el servicio posventa de la muerte. Nos entregan una bolsa de plástico con sombras que te pertenecen, un camisón, horquillas de pelo, un cocodrilo de perlitas anaranjadas medio descosido, algunas fotos, tus zapatillas y un relojito roto, parado en las 19.30.

Ese cocodrilo lo tejió mi hermana para ti. Le faltan una pata y unas cuantas perlitas de la tripa. Ojalá te las hubieras podido llevar contigo.

Tras la muerte uno siempre se espera que algo aún se mueva, aunque sean las perlitas de un cocodrilo roto.

En la temporada en que a Lisa le dio por hacer cocodrilos de perlitas, seguro que no imaginaba que un día sería madre, y tampoco que se quedaría sin madre. Solo era una niñita que se parecía a su madre y a la que le gustaba mucho hacer cocodrilos con perlitas de dos colores.

Ahora, papá, Lisa y yo somos huesos y músculos, nada más.

El hospital. Su pasillo interminablemente blanco que hay que escalar caminado en horizontal sin chocarse contra una pared. Está prohibido derrumbarse. No se puede. Es necesario articular los pulmones con movimientos normales de respiración. Todo está bloqueado, todo está vacío. Pero funciona, igual que una vieja barca cuyo timón fuese gobernado por un fantasma de emergencia. Siempre puedes aferrarte a unas perlitas de cocodrilo. Siempre puedes aferrarte a las paredes blancas de la habitación y a los ramilletes de fluorescentes vacíos. Siempre puedes, pero no pasa nada, ni nadie. Solo el tiempo. Los relojes siguen desgranando los segundos como si nada.

Fingimos caminar, imitamos a las personas que éramos antes, cuando aún estabas aquí. Hace pocos minutos te escurrías entre nuestros dedos, pero todavía estabas.

Entonces teníamos miedo, y nos hacía mucho daño. Pues aquello no era nada en comparación con el vacío que nos estalló silenciosamente delante de las narices con el breve «se acabó» de la enfermera. Todo el mundo tenía miedo. Miedo de que te fueras. Y ahora que te has ido, tenemos más miedo aún.

Todos nos aguantamos con el corazón clavado en la tripa y en la garganta. Sin hacer ruido. No queremos que lo oigas. Es espantoso el ruido de un corazón cuando se rompe. Como el de un huevo a punto de abrirse aplastado por un bulldozer de porcelana. No queremos que comprendas. ¿Sabías? Queremos seguir oyendo un poco del tú y del nosotros funcionando con normalidad, con palabras, y sin tubos de plástico. ¡Queremos «antes» y ahora! «Señores, señoras, por favor, diríjanse a la salida.» No pueden arrebatarte así a una madre. ¡Que quiero quedarme! La operaré, durmiendo pegadito a ella, veréis cómo se despierta. ¡El sol entre sus dedos, ya veréis, ya veréis! ¡Vamos!

Si las enfermeras, con sus ojos cubiertos de párpados, lo dicen, debe de ser cierto: se acabó. No he conseguido retorcer los relojes, cambiar el curso de nuestro destino, no he conseguido hacer magia, ni he conseguido el amor, ni la medicina, ni nada.

Lisa ha tirado su corazón contra la pared, papá va a recogerlo. Yo he tirado mi corazón contra la pared, papá va a recogerlo. Me tiro contra la pared, papá va a recogerme. Estrépito de bulldozers que se tiran uno contra otro.

Las enfermeras entran en la habitación lanzando una mirada que quiere decir «Hacéis mucho ruido». ¡No existen! Dime que no existen los pasitos de plástico de las enfermeras taconeando en el linóleo. Estás dormida, estás cansada, vas a descansar en paz. ¿Sí?

Hemos recogido los corazones, nos hemos agarrado unos a otros con el mecanismo de los brazos y nos hemos marchado de la habitación.

Reina un silencio que anula todo lo demás, denso como una losa. Salimos del edificio.

Nos hemos despeñado. Igual que unos alpinistas a los que acabaran de quitar la pared montañosa, el punto de apoyo al que se aferraban para no perder pie. Aunque te hayas hecho a la idea de que va a suceder lo peor, la caída siempre es un brutal golpetazo.

«Se acabó.»

Con las uñas clavadas en el hielo, puedes sufrir y pensar, incluso desear morir de frío. Pero sigues vivo, pues la esperanza aún se subleva. Cuando la montaña se esfuma y se acabó, te caes de espaldas sin poder agarrarte a nada, es el momento de las cosas que se apagan. Inmediatamente te pierdes. Surge la noche en pleno día, en plena cara, y ya nunca nada será como antes.

El vacío es una gran cosa. Nos espera a la salida del hospital. Y me asusta indefinidamente. Papá y Lisa se marchan en el coche, tienen que ir a buscar ropa para ti. Vagan como dos sombras mientras yo espero en el aparcamiento. Tu hermano está de camino. Viene a ver a su hermana muerta. Él también se marchará con su saco de vacío para el resto de su vida.

Estoy en el aparcamiento y veo que cae la noche hasta donde me alcanza la vista. Únicamente la sombra del hospital y los faros de los coches pellizcan el horizonte en silencio.

Estoy mecánicamente vivo, ya que mis dedos se mueven y mis ojos parpadean. Sin embargo, siento un profundo vacío. Como si me hubiera bebido una taza de té, se me hubiera hecho añicos en la garganta y me retorciera todos los puntos sensibles del cuerpo, sin tocar los órganos vitales, para que me quede aquí. Veo con claridad la hilera de árboles a la entrada del aparcamiento sacudidos por el viento, con sus sombras retorcidas, pero no oigo nada. Tengo la sensación de que me encojo y crezco al mismo tiempo. De no caber en mi propio cuerpo. Me siento como si yo mismo fuera demasiado grande para mi cuerpo. Es el vacío que se hincha y me hincha. Mis manos tiemblan como una garganta estrangulada. Las obligo a agarrarme los hombros, pero siguen temblando. Me miro las rodillas: parecen dos piedras grandes, y los tobillos dos piedras medianas. Lo demás tiembla. No es frío de verdad, es esa cosa nueva: el vacío.

¡Y Lisa y papá tienen que ir a abrir el armario de tu habitación para elegir tu último vestido! Al mover la tela, el perfume de suavizante para ropa les acariciará la nariz. Ahí empiezan las caricias cortantes, las que se clavan en los antiguos recuerdos.

Cuando tuviste que marcharte de casa para ir al hospital, unas sombras ocuparon tu lugar. Las he visto extenderse, primero por la cocina, por entre las cazuelas inmóviles, luego se enredaron entre tus peinecitos y en el cuarto de la plancha, como unas telas de araña opacas. Al principio, me bastaba con soplarles un poco encima para que desapareciesen. Y mientras, pensaba y decía en voz alta que regresarías.

Después transcurrieron los días, tuviste que quedarte en el hospital, y las sombras se solidificaron en casa. Se extendían por debajo de la puerta de tu habitación, parecían auténticas plantas carnívoras. Los últimos días, era imposible tocar, ni siquiera acercarse al pomo de la puerta. Las sombras se aferraban a los cuadros colgados en el pasillo y trepaban por la pintura. Parecía que las paredes se agrietaban.

Papá las veía igual que yo; sin embargo, nadie decía nada. Nos dábamos cuenta de que se hacían un poco más densas cada día, pero nos negábamos a prestarles demasiada atención. Mamá regresará, y estas asquerosas sombras se largarán por donde han venido, punto final. Yo sentía cómo aumentaba nuestra preocupación por la forma en que papá hablaba con Lisa por teléfono, y también por la forma de no telefonear a Lisa. El instinto de supervivencia y el miedo nos impidieron casi hasta el final rendirnos a la evidencia.

Ahora, las sombras han debido de agarrarse como el cemento armado hasta los dientes. Toda la casa debe de estar minada. Papá conducirá, hay que seguir comportándose como personas vivas. Sus brazos abrirán el portalón de madera que cierra mal debido a la humedad del otoño que lo hincha. Subir las grandes escaleras de piedra que se enroscan alrededor del pino piñonero y dar con la forma acertada de meter la llave en la cerradura de la puerta de entrada. Y el álamo gigante que tenemos que cortar, ¿no se decidirá a agitar sus raíces hasta el fondo del garaje para levantar la casa entera y lanzarla a que se estrelle contra el pórtico del cementerio?

No sé cuáles son mis habilidades, ni para qué podrían servir ahora. Me da miedo que papá y Lisa se topen con dificultades sobrenaturales al intentar hacerse con ese último vestido, allí en el armario infestado de sombras. Me concentro en la idea de ver llegar el coche. Y pensar que mañana debemos subir al escenario. Ni siquiera estoy seguro de saber todavía cómo va eso de sacar notas musicales de mi cuerpo, ahora que tengo un agujero dentro.

Y está el álamo gigante, muerto con la cabeza en el cielo por encima de la casa; espero que aún siga en pie. ¿Fingirá estar vivo, con sus sombras aferradas al tejado, antes de que vengan a cortarlo también a él? Dicen que es demasiado grande, que nos arriesgamos a que el viento lo arranque y aplaste la mitad de la urbanización. Pues a mí me gusta. Los gatos trepaban por él cuando paseabas esas maneritas tuyas al ir a coger el correo bajo sus ramas; cuando esta casa todavía no era una tumba con agua y electricidad.

¿Qué haremos ahora que siempre es de noche para ti? ¿Qué significa la vida sin ti? ¿Qué te sucede a ti allá arriba? ¿Nada? ¿El vacío? ¿La noche, cosas del cielo, el consuelo?

Pues yo no quiero ni pensarlo, mi sangre lo rechaza de plano, el agujero dentro de mi cuerpo silba. Es un sonido negro, como los de los viejos pitidos del tren. En cuanto esas ideas se me pasan por la cabeza, el gran temblor de cuerpo se pone en marcha rítmicamente. Solo quiero que no sea verdad, que nos dejemos ya de esas estupideces de hospital, que nos dejemos ya de la muerte, porque se hace tarde, se hace vacío y ahora querría que regresásemos todos a casa.

Si es preciso, trucaré los relojes del mundo entero.

Allá voy, empezaré por salir de este estúpido aparcamiento lleno hasta los topes de vacío y me enfrentaré quijotescamente con el Big Ben y los relojes más grandes del mundo. Escalaré, ya lo verás, mira, trepo por ese maldito campanario inglés y retuerzo las agujas, ¡mira! Es un poco antes de las 19.30, ¡no te vencerán! ¡Mira cómo hago de manivela con los musculitos que me fabricaste en tu vientre hace treinta años! ¡Te levantas! ¡Ya no hay tubos de plástico, ya no hay sopa asquerosa ni hamburguesa de asfalto, y tampoco galletas con trocitos de gravilla! ¡Vuelas hacia casa! ¡Allí comeremos en la terraza y tendrás los ojos abiertos como canicas de color ágata-avellana! ¡Mira, los aviones van hacia atrás, todo el mundo habla al revés! ¡Tus nietas, Mathilde y Charlotte, vuelven a estar en tu regazo, pondremos un disco un poco alto en el estéreo del comedor para que se oiga desde la terraza! ¡Mira, el vacío y la noche! ¡Les partimos la cara a manivelazos! ¡Big Ben! ¡Ya no hay nada en tu vientre, eres libre! ¡El álamo gigante, mira cómo reverdece; los gatos que trepan por él tienen savia en las patas y se pringan por todas partes cuando se pelean o se abrazan! ¡Ay, huele a tarta de manzana, y además has puesto hadas canela; no va a quedar ni una miga! Y tú estás ahí, con tus horquillas en el pelo, contoneándote mientras dejas caer «Está buena, ¿eh? Está buena, ¿eh? Está buena, ¿eh?...».

Aparcamiento. Ni un olor, ni un reloj, algunos espasmos. El coche no debería tardar. Papá y Lisa llegarán con una bolsa que contiene el que será el último vestido que te pondrás. Camino un poco. Tengo la impresión de que eso hará que vengan más rápido. Golpeo distraídamente las piedras y oigo cómo caen unos metros más allá.

Tendría que haber ido con ellos, eso no cambia nada, ya nada cambiará nada. El Ródano seguirá corriendo de norte a sur, con esa mediocridad de río grande y zafio. Atraviesa la ciudad sin aportarle magia –aun cuando nadie haya muerto–, ese río es insignificante. Los coches estacionados en el aparcamiento parecen formar parte del asfalto, las sombras de los edificios también. El bosque plantado al final del río recuerda al que rodea mi casa. Un pájaro, no muy viejo, se balancea de una pata a otra, a unos cuantos centímetros de mis zapatos. Trata de comer piedrecitas y canta algunas notas. Me vuelvo y distingo la ventana de «la habitación». No puedo creer que estés ahí dentro inmóvil para siempre, nunca podré creer semejante cosa.

Tengo conmigo la bolsa que nos dieron al salir del hospital con tus efectos personales. La sujeto con las pantorrillas. Resulta difícil mirarla. Aun así, me decido a abrirla. Entre todos esos bonitos mechones de recuerdos, horquillas para el pelo, gafas, zapatillas, camisón doblado desde hace demasiado tiempo, se encuentra ese extraño relojito roto, con las agujas paradas en las 19.30. Meto la mano hasta el fondo de la bolsa y saco el relojito. Se parece al cuco que presidía la escalera de casa, pero en miniatura. Lo agito junto a mi oído; no emite ningún ruido. Resulta imposible retorcer esas agujas, como pintadas en la esfera. En el reverso del reloj hay una inscripción grabada sobre la madera: «Para ayudaros a combatir la muerte: Gigante Jack, barquero de entre mundos, médico de las sombras, especialista en problemas de vida pese a la muerte. –Y más abajo–: Contacto: canturread "Giant Jack is on my Back"...».

–*Giant Jack is on my Back* –canturreo, perplejo, cuando leo la inscripción en el reverso del relojito–. *Dja-ï-ante-djack-is-on-my-Back, djaïante djak... is on my Back! Giant Jack is on my Back!* Eso es... ¡Sí! ¡El Gigante Jack, por supuesto! ¡Moveos asquerosas sombras, mostraos! ¡Explicadme lo que significa vivir con la noche pegada a la piel, vamos!

El pájaro espera a que deje de gritar y luego empieza otra vez a picotear la gravilla. Vuelvo a dejar el relojito en el fondo de la bolsa y siento de nuevo esa sensación de Coca-Cola demasiado fría alrededor de los ojos. Como justo después de un berrinche, cuando la presión se relaja y los párpados ya no se cierran. Te quedas sin fuerzas, te palpita el corazón, y en el preciso momento en que crees que se termina la crisis, te deshaces, te vuelves líquido.

Transcurren unos cuantos minutos.

Entonces oigo un ruido lejano, un ruido de viento sin motor, bastante extraño para un coche. Pienso que deben de ser papá y Lisa que regresan de casa.

II

El ruido se intensifica y, definitivamente, no se asemeja al de un coche. Parece una tormenta. Los árboles tiemblan. La luna, cuya presencia había olvidado, ahora recorta el cielo. El pájaro que come gravilla ha desaparecido, las sombras de los árboles arañan las farolas que se inclinan aterrorizadas, el paisaje se hunde en el río y sus brumas. Reina el silencio. Y ese ruido de viento que empieza de nuevo a dar vueltas. Enorme. Todas las fuentes luminosas parecen debilitarse. Unas sombras avanzan desde el edificio del hospital, como ramas de árboles muertos hambrientos de luz. A lo lejos, en la carretera nacional, los faros de los coches han desaparecido. El ruido se intensifica como si abrieras las puertas de un tren que avanza a toda velocidad. Es la noche total. Incluso con ojos como platos, resulta imposible ver el menor residuo luminoso. Oigo crujidos a mi espalda.

Y de pronto, ni un ruido. Nunca me he sentido tan solo en mi vida. Silencio integral y oscuridad integral. Nada.

Me vuelvo.

El gigante debe de medir unos cuatro o cuatro metros y medio. El busto y la cabeza tienen proporciones humanas; sin embargo, las piernas, en forma de acordeón, son increíblemente largas y sus brazos, muy delgados, arrastran por el suelo. Lleva puesto un redingote entallado que le hace parecerse a la sombra de una interminable sierra. Da la impresión de que con su tamaño tapa la luz de toda la ciudad. Su rostro recuerda un poco al de un Robert Mitchum al que acabaran de despertar después de la muerte. Me pregunto si está vivo o no; en cualquier caso, me cuido mucho de plantearle la cuestión.

Se acerca hacia mí despacio. El sonido del viento se reanuda cuando acciona el gran fuelle de sus piernas para avanzar. No sé si me mira. Tiemblo igual que un pájaro helado y embadurnado de petróleo. También se ha reanudado el ruido de huevo cascado; creo que lo hace al parpadear.

Sigo sin ver nada salvo su figura, que destaca claramente, un poco más oscura que el resto de la noche, con el rostro y las manos brillando como un singular halógeno desgarbado. Su sombra es enorme, se desparrama, trepa por mi nuca. Siento su aliento helado que me produce un escalofrío en la espalda, está justo detrás de mí. Hace un gesto amplio con la mano. Cuando llega a mi altura, me mira y se sienta a mi lado. La operación dura unos treinta segundos. Eso de pasar de la posición de pie a la posición sentada debe de exigirle un terrible esfuerzo. Cuando se sienta se producen todo un sinfín de chirridos y crujidos, como si alguien diera cuerda a unas cajas de música.

No dice nada. Quizá porque en estos momentos no haya nada que decir, solo esperar.

Y curiosamente, su presencia, aunque aterradora, me consuela un poco. En cualquier otro momento de mi vida, ese gigante me habría aterrorizado, pero ahora, tal vez debido al estado de aturdimiento en el que me encuentro, su presencia me produce un efecto calmante.

El gigante hace lo mismo que yo: juguetea con las piedras mirándose los pies, aunque él tarda mucho más que yo en atraparlas debido a que sus pies están mucho más lejos que los míos. Le miro fijamente a los pies porque estoy muy impresionado. El gigante impone con sus cuatro metros de altura. Sigo oyendo cómo parpadea. Ahora parpadea mirándome. Tiene los ojos tan grandes como los faros de un coche. Un coche perdido en la niebla.

Este chisme enorme me matará, no cabe la menor duda. No obstante, estoy ya tan profundamente hundido en el vacío y en la muerte que este larguirucho sentado junto a mí lo único que hace es animarme un poco.

Ha transcurrido un rato y un coche entra en el aparcamiento. Los faros descubren el trazado blanco de las plazas sobre el asfalto. No oigo nada, da la impresión de que el coche va flotando a estacionarse. Lisa y Papá se dirigen hacia el hospital, no me han visto. Estoy paralizado, los miro pasar con la bolsa que contiene el que será tu último vestido. Me alivia verlos al fin. Es preciso que me levante, que vaya a reunirme con ellos.

De pronto, el gigante se inclina hacia mí, se bambolea un poco y me apunta con el dedo:

—Soy Jack el Gigante, doctor en sombrología, médico de las *sombrrrlllas*. Trato a las personas aquejadas de duelo administrándoles escayolas y cataplasmas para el corazón, que fabrico a partir de mi sombra. Como habrás podido adivinar, soy más bien un modelo grande y en cuanto a mi sombra, es ENOOOORME... Conozco muy bien lo que es la vida pese a la muerte, la conozco, soy un especialista, y he venido hasta aquí para darte un trozo de mi sombra —dice con un tono de voz tan grave como el del cantante de los Platters.

—¡...!

—Te protegerá, es una muy buena sombra. Es un poco voluminosa y fría, pero cuidará muy bien de ti.

Arranca un pedazo de su sombra alargando mucho su inmenso brazo izquierdo por detrás de la espalda. Produce un ruido de sábana desgarrada. Permanece arqueado sobre sí mismo soltando gruñidos. Creo que se está quejando, no me atrevo a interrumpirlo.

—¡Maldita escoliosis! ¡Hace ciento veinticinco años que me duele cada vez que me agacho! —reniega con esa voz de contrabajo despanzurrado.

—¿Tiene escoliosis? —le pregunto entre dientes.

—¿Cómo? ¡Todos los gigantes tienen escoliosis! ¡Creces, creces y se te tuerce el cuerpo, amigo! ¡Y al envejecer, tienes escoliosis hasta en la punta de los dedos, amigo! ¡Y el corazón! ¡Ay, el corazón, cuando eres un gigante de ciento treinta años, lo tienes roto en mil pedazos! ¡Has conocido el amor y la muerte, y te han arrancado el corazón en más de una ocasión! Entonces es cuando compensas el dolor con las sombras. Son como el cemento. Tú acabas de sufrir un grave accidente de corazón. Tenderás a encogerte bajo el peso de las cosas; sin embargo, tendrás que crecer de golpe, ¡te amedrentarás por culpa de una escoliosis por todas las partes del cuerpo y del corazón si no te reeducas como es debido, sí, sí! ¡Toma tu sombra, chico! —dice, al tiempo que manosea algo en mis hombros—. No es fácil ir tirando de ella todo el día, pero hay que esforzarse, tenemos algo que reparar en tu interior.

Es como si me embadurnara todo el cuerpo con un bálsamo calmante, resulta un poco frío, pero hace que te sientas mejor.

—¿Está bien así?

—Es demasiado grande para alguien tan pequeño como yo, ¿no?

—¡Bah! *Trrrust the Old Giant-Jack, little man, it's a good shadow, cold like ice but it will protect you well, well, well, o wow ow!* —dice, canturreando.

Después adquiere un tono más serio:

—¿Sabes?, no siempre funciona, es un tratamiento muy peligroso. Porque las sombras, amigo, son puertas abiertas al país de los muertos.

—¿El país de los muertos? ¿Estará ella ahí? ¿Se la podrá ver en ese lugar?

—Mientras estés vivo tú no tienes nada que hacer allí. Lo que encontrarías en ese lugar sería tu propia muerte, nada más.

Un largo silencio hiela sus últimas palabras. Luego el gigante carraspea y continúa hablando:

—Al igual que cualquier capullo, las sombras pueden generar metamorfosis. Todos mis pacientes son distintos. Algunos salen de ellas consolidados, incluso salvados; otros mueren, se asfixian ahí metidos, como polluelos dentro del cascarón. Las sombras que yo dispenso están fabricadas a base de líquido amniótico; los hay que se ahogan dentro en pleno sueño.

Un caracol enorme cuelga ridículamente del extremo de su oreja izquierda, me entran muchas ganas de señalárselo, pero no digo nada. Este tipo posee un don de la comicidad, da la sensación de que podría pasar horas y horas contando historias divertidas sin hacer un gran esfuerzo, tan solo gesticulando un poco. No obstante, al igual que los mejores profesores, sabe adoptar una actitud seria de repente.

—Tengo algunas recomendaciones que hacerte para tratar de salir indemne de todo esto: para empezar, debes luchar solo. No mezcles a nadie en esto, ni siquiera a las personas que quieres, principalmente a los que quieres. No te digo que vivas recluido, al contrario, pero el combate interior debes llevarlo a cabo solo. Tu sombra es un arma que puede volverse temible para desbaratar a la muerte. Aprenderás a utilizarla. Solo hace falta un poco de práctica.

»En segundo lugar, no debes utilizar las puertas que conducen al país de la muerte. Luchar contra la muerte no significa ir a verla de cerca. El único modo de matar a la muerte es seguir vivo. Mantente orientado hacia la vida. La sombra funciona como una especie de vacuna, contiene la muerte, pero tú no debes tocarla. No bromees con eso, es lo que hace que con mayor frecuencia fracase el tratamiento. Eso y las personas que no aceptan la vida. Pero estos morirían de todas maneras.

Se concede una pequeña pausa, respira una gran bocanada de aire y rebusca en sus incontables bolsillos de libros. Saca tres obras para dármelas, ¡«prrrllessscrlllibir», como él dice!

—Me gustan los libros que caben en los bolsillos, que se pueden acarrear, amar, prestar, doblar una esquina, dar, volver a comprar para leer los fragmentos preferidos. Para mí es un acto importante intercambiar un

libro que quieres, como prestar tus zapatos. Aunque...
yo no te presto mis zapatos porque me resulta dificilísimo encontrar de mi número. Además, al margen de
dormir dentro, no sé qué ibas a hacer con mi calzado;
sin embargo, puedes coger estos libros. En ellos encontrarás historias de sombras, y harán que pienses en otras
cosas, ¡ja, ja!

Creo que trata de hacerme reír, aunque realmente
tiene un humor de fantasma.

—Esto forma parte de tu tratamiento, amigo: los libros son accesorios no accesorios para luchar contra la
noche eterna. Duermen en mis bolsillos, solo los despierto para prestarlos cuando parece que alguien los necesita.

En ese instante, me muestra una enorme sonrisa que,
de verdad, va de oreja a oreja. Entonces desaparece tal y
como ha aparecido, como el sonido del viento.

Los tres libros apoyados en la palma de su mano parecían una nidada de pajarillos de papel. En mis propios
brazos, se convierten en simples libros. Me los meto en
los bolsillos mientras me dirijo a la entrada del hospital. Estoy totalmente ido, mi cuerpo funciona con el
piloto automático. Resulta difícil separar el corazón y
el cerebro y, por tanto, solo confío en mis piernas para
avanzar.

Mi nueva sombra, enorme, arrastra un poco por el
suelo; me enredo los pies con ella. Voy en busca de Lisa
y papá; a partir de ahora deberemos apoyarnos los unos
en los otros. Cuando uno de los tres se derrumbe, los

otros dos deberán acudir en su auxilio. Los papeles se intercambiarán por minutos.

El personal del hospital se ha marchado a otro lado. Ha llegado el momento en que debemos irnos, ya no tenemos nada que hacer allí. Hay que regresar a casa.

Lisa está sentada en el asiento trasero del coche, junto a mí. Exactamente como cuando íbamos a esquiar. Nadie se pone delante, en «tu sitio». El problema con las sombras se confirma. La muerte se ha instalado en la parte delantera y nos vigila por el retrovisor. Ocupa tu lugar; no puedo aceptarlo, no puedo creerlo.

Papá arranca el motor, aún me pregunto cómo es capaz de conducir. El coche sube atravesando la ciudad, como teledirigido. Los árboles empiezan a reemplazar a los edificios, la noche se condensa contra el parabrisas. El resto es como un bosque que nos abraza y el viento bate sobre nosotros.

Del hospital a casa hay más o menos diez kilómetros. Y hoy se convierten en los diez kilómetros más largos de mi vida. Me conozco de memoria el perfil de todos los montes del horizonte, de todas las curvas. He pasado por aquí en la «ruta» para ir al instituto, en coche para acudir a la universidad, hasta en la furgoneta de nuestra gira musical para descargar los instrumentos en el garaje. Es el camino de regreso a casa. Papá se esfuerza por conducir como lo hace siempre. Sin embargo, yo tengo la sensación de que ya ni siquiera existe la casa, de que nunca encontraremos el cartel que anuncia «Montéléger».

El cielo está salpicado de asfalto helado, rasca en el techo del coche. Papá sigue concentrado en conducir, con esa singular idea de que no, la casa no ha debido de moverse. Los faros iluminan, las ruedas giran, las marchas cambian. No nos cruzamos con otros coches, únicamente con sombras, que se extienden por el horizonte como los pantalones negros de todo un equipo de fútbol fantasma.

Papá se las apaña bien al volante. No obstante, conducir con una tormenta de soledad y vacío es complicado. Todo arde, todo explota, los árboles clavados al revés en el cielo, el cielo clavado en el parabrisas. Creo que sopla un fuerte viento, pero nadie dice nada. Todos estamos asustados, pero nadie dice nada. Únicamente el motor cambia de sonido cuando papá desembraga. Me vienen a la cabeza algunos recuerdos de las vacaciones de esquí, son recuerdos que se encienden e inmediatamente se apagan.

Llegamos a «Montéléger», con sus escasas luces de pueblo dormido. En el centro está la iglesia, presidiendo el pueblo. Pronto la veremos. Un poco más lejos se encuentra el colegio y sus olores de vuelta al cole. En las aceras, las cáscaras de plátano que la lluvia ha pegado unas a otras.

El arrollo atraviesa el pueblo. Ese conoce todos mis secretos. Ahí he pescado sueños al salir de clase, sueños de ranas. He soñado con chicas tumbadas en él. Eran sueños sabrosos mientras iba de tu mano. Podía soñar tranquilo, fingir que me escapaba, gritar, caminar al revés, aminorar-acelerar, por el camino que nos llevaba a casa. En cualquier caso, tú me tenías cogido, ese es un trabajo de madre y yo lo había interiorizado muy bien.

Recuerdo el ambiente de la merienda, jugábamos a fútbol entre las piedras, recuerdo los relatos del día en el cole, los «¿Qué hay para cenar hoy?» apurándonos un poco como quien no quiere la cosa para no perdernos a Goldorak. ¿También a él lo habrán vencido? ¿Habrá acabado su vida de súper héroe con un tubo de oxígeno en la nariz? Puede ser que lo hayan dejado oxidarse en su cacerola volante, que se haya puesto enfermo por no poder seguir volando y que haya perdido sus preciosos cuernos con forma de plátano. ¡Eh! Goldorak sin sus cornofulgurantes debe de parecerse a un punk de chatarra de ciento cincuenta años. ¿También él habrá tenido que ponerse un horrible pijama de hospital de papel con los zapatos de plástico de bolsa de basura a juego? Ahora debe de andar por el fondo del arrollo, abandonado como un juguete roto, rodeado de ranas muertas.

¿Nos habrá seguido el gigante? Teniendo en cuenta el tamaño de sus piernas, corriendo ha de alcanzar la velocidad de un coche.

El coche aminora la marcha y sube por la urbanización, que se conoce de memoria. Todas las casas están exactamente igual que siempre, y esta normalidad resulta del todo aterradora. Las farolas nos miran con cara como de: «Control de identidad, por favor. Tengan la amabilidad de sacar las estrellas de los bolsillos, del pelo, de los ojos. Todo lo que brille, deposítenlo en la bolsa de plástico: sus sonrisas, sus recuerdos, ya no los necesitaran allá adonde ahora van».

He guardado mis recuerdos y mis historias del gigante. No es el momento de hablar de ello con Lisa y papá; aún no. Siento los huesos, agrandados en los hombros, pero no la piel. Estoy colgado de mi esqueleto.

Papá continúa con las manos pegadas al volante, pero yo ya no tengo la impresión de que conduce. Podría decirse que el coche ha decidido por sí solo detenerse delante del portalón. Bajo para ir a abrir el garaje. Mi sombra de gigante se desliza por el asfalto, sin hacer ruido.

El vacío y su orquesta silenciosa se han apoderado de la casa. Doy unas cuantas vueltas por el pasillo. Siento las sombras por toda la casa. Cada recoveco está habitado. Aun así prefiero pasearme por entre esos fantasmas que ir a acostarme. Nunca más volveré a verte, y tú nunca más volverás a ver nada. Todo mi cuerpo rechaza el pensamiento y avanzo chocándome con las paredes.

Por primera vez me envuelvo en mi nueva sombra. Sé que supuestamente me ayudará, pero no sé cómo utilizarla. Bueno, esta es mi sombra, el gigante me la dio, me asusta un poco menos que todas las que surcan la casa, que se clavan como cuchillas en las puertas. Y en el lavabo del cuarto de baño, y en el cráneo de toda la familia que se lava allí los dientes. Vamos a acostarnos y parece que se nos clavan esas cuchillas en el cráneo. Hacen tanto daño como los rayos de sol en los ojos. Difunden dos productos muy tóxicos para nuestros corazones agujereados, corazones que se pasean sin rumbo fijo por esta casa: el primero es un vacío visible, y el se-

41

gundo son tus recuerdos de vida en esta casa. Los dos juntos te parten el alma.

La sombra de la puerta de tu habitación se ha extendido aún más. Invade todo el pasillo, casi nos vemos obligados a agacharnos cuando queremos ir al cuarto de baño. Si no te agachas, te enredas la sombra hasta la cara. La sombra te oprime fuerte la garganta y parece que va a asfixiarte. He visto a papá, a Lisa, al tío Fico, a todo el mundo pasar por ahí. Sin embargo, nadie dice nada.

Decido irme a la cama. Me tomo el asomnífero y abro el primer libro que me dio el gigante. Parece un libro de magia en formato bolsillo. La cubierta es tan gruesa y rugosa como la corteza de un árbol. Lo manoseo tal y como me gusta hacer con mis libros fetiche. Le paso la palma de la mano por encima, lo abro, lo cierro, lo hojeo de manera acelerada con ayuda del pulgar, me detengo al azar en una página, leo un fragmento, saborear las palabras igual que si metieras el dedo en una salsa, y respirar el olor del papel totalmente nuevo o completamente viejo, y oler la cola que une las páginas.

El ruido que hago al hojear es ensordecedor. Es el sonido de la casa; ha cambiado.

¿Y este libro tendrá magia dentro? El gigante me dijo que los libros eran instrumentos para luchar contra la noche. En cualquier caso, me ayudan a refrescar los recuerdos.

Me viene a la memoria cuando tú me leías tus pequeños textos. Leías a toda prisa porque el corazón te latía más rápido. Leerme tus relatos te producía mucha emoción, una madre compartiendo sus pensamientos más íntimos con su hijo.

A los sesenta años cumplidos, mi madre se volcó en la poesía y los relatos. Empezó a escribir relatos cortos, historias que ocultaba dentro de ella desde hacía demasiado tiempo. Historias que redactaba con avidez y cierta melancolía. Creo que, durante una época, los «libros» que escribía en su habitación le procuraron bienestar y le resultaron saludables. Se sentaba en mi cama y sacaba «su libro», un viejo cuaderno de espiral con cuadrículas pequeñas que debía de haber comprado para hacer cuentas, no poesía. Lo manoseaba nerviosa y lo leía como si lo que hubiera escrito corriese el peligro de borrarse cuando lo recorrieran sus ojos.

—¡Despacio, si vas demasiado rápido no entiendo nada!

—Sí, sí.

Pero la lectura cada vez se aceleraba más. Mi madre respiraba entrecortadamente y le faltaba aliento a la voz, pero las palabras fluían. Recitaba poemas con sabor a canela, un sabor característico de sus guisos.

Por su cumpleaños le regalé lo que más tarde sería el primer libro de su nueva colección: era un cuaderno ilustrado con la cubierta de *El principito* de Saint-Exupéri, igual que el que yo utilizaba para pasar a limpio mis historias. «¡Así tus poemas dejarán de codearse con las matemáticas!»

Parece mentira, pero hasta hace muy poco tiempo, iba a darle las buenas noches a su habitación y ella me decía: «¿Quieres que te lea uno de los nuevos…?». Le daba apuro pronunciar la palabra «poema» al referirse a lo que ella escribía. Había santificado el acto de la escritura sin darse demasiada cuenta de ello. Siempre utilizaba el mismo boli, siempre los mismos cuadernos. Para mí se había convertido en una escritora-gran chef, sus creaciones siempre resultaban originales y ceremoniosas. Me pedía consejos, charlábamos sin orden ni concierto sobre cada uno de sus textos. Mi madre solo me leía a mí. Escribir se había convertido en una especie de actividad secreta que la excitaba y la asustaba al mismo tiempo; sin embargo, había cogido gusto a sus citas nocturnas consigo misma.

Me quedé con su cuaderno de *El principito*. Lo guardo cerca de mí, con los libros que me regaló el gigante.

El efecto del asomnífero no es radical, me escurro por entre mi sombra hasta los ojos, para ver bien oscuro incluso con los ojos abiertos. Creo que se me ha roto el mecanismo de los párpados, ya no puedo cerrarlos. Brotan los recuerdos, enfurecidos. El hospital, los grados de la máquina de la morfina, Charlotte con su año y medio trotando por el pasillo, Mathilde con sus seis años y medio quieta sentada. Un poco más lejos, tú escondes los huevos de Pascua en el jardín. Eso era antes de los hilos de plástico y las agujas.

Un año y medio antes. Regreso de una gira, Lisa y papá van a buscarme a la estación. Tú llevabas un tiempo cansada. Antes de irme de gira me dijeron que estarías unos días ingresada porque iban a hacerte una intervención insignificante; fue la explicación que me dieron para protegerme. Ahora que he vuelto a casa, papá me anuncia que has estado grave, pero que afortunadamente lo peor ya ha pasado. La operación ha sido un éxito. Lisa ahoga un sollozo.

Son las nueve de la mañana y todos se han levantado. Es la hora de un gran desayuno en la cocina. Hay anestesia en las tostadas. La hemos puesto por todas partes, para que nadie explote. Estamos bien aquí, la familia reunida, tratando de hablar y de comer. Papá, Lisa y yo empezamos nuestra larga jornada de logística funeraria.

Primero vamos al Ayuntamiento: hay que deletrear tu nombre y dejar claro que ya no existes. Luego llegamos al cementerio: hay que elegir la situación, como en el camping, sombreada, sin sombra, cerca de la salida, lejos de la carretera, al abrigo del viento… En este cementerio el viento llega hasta los rincones. Localizamos un lugar cerca de un grifo, parece un lugar práctico para regar las flores, y de una zona donde se dejan las flores mustias, una parcelita donde se tiran los esqueletos de las flores. El sitio menos triste del cementerio. Apretujar el corazón al fondo del cerebro para lograr pensar en estas irrisorias absurdidades y elegir, decir, «sí, aquí está *bien*». ¿A ti te parece bien? Hay una acacia, ya sé que solo da espinas y sombras cortantes, pero está viva, tendrás a tu lado algo vivo. Te dará de beber su sabia, te escaparás a través de sus raíces y florecerás desplegándote hacia el cielo.

Ahora, el ataúd. Entramos en un comercio de pompas fúnebres, solo falta el llavero de mármol y el pin

«Rest in peace». Toda la colección «muerto otoño-invierno» ha llegado: ramos artificiales de mármol, tumbas escotadas o con grandes curvas, placas para grabar poesía: «a nuestro amigo, a nuestra tía»… a nuestra madre, esta también deben de tenerla. Un hombrecillo canoso, con una amabilidad algo impostada, nos enseña varios catálogos de ataúdes. Hemos de elegir el motivo y así lo hacemos. Y «¿qué color?» y «¿qué clase de madera?», ay sí, roble, no cabe duda, lo mejor es el roble, igual que si se tratara de un puto mueble. Cargamos con nuestros corazones como bolas de preso hechas de carne. Van arrastrando detrás de nosotros, se enredan los tres. Nos concentramos y tratamos de hacerlo lo mejor posible, de elegir tu ataúd. El cerebro envía su anestesia a borbotones, estamos medio idos. Escondo el corazón en el hueco de mi sombra. Me gustaría dar parte de la sombra del gigante a Lisa y a papá, pero no sé cómo hacerlo. Tal vez debería llamar de nuevo al gigante. No a pleno día, él pertenece al mundo de la noche. Es de los que «no se pueden ver».

Última etapa, reunirse con la santa dama que se encarga de la ceremonia de la iglesia. Elegir las músicas, los textos que leer. Otra vez al coche, con un papá teledirigido por no sé qué fuerza que sigue llevándonos de un punto a otro. La cosa es que la familia está un poco mosqueada con la santurronería. Todos hemos recibido una educación católica, pero en la herencia de padres a hijos, hemos preferido dar patadas a un balón, hacer el indio en los árboles, construir cabañas. Excepto hoy, que tratamos de hacer las cosas como es debido, para que tengas una bonita ceremonia. Esta señora, que nos recibe en su casa escondida en el bosque, no tiene nada que ver con los representantes comerciales que alaban los méritos del último modelo de lápida sepulcral barata. Tiene devoción. Tiene fe. Eso existe. Es impresionante.

Llegamos a casa de la encargada de la ceremonia y el olor que impregna toda la estancia es el característico de la casa de ancianos. Es un olor a cera vieja que se introduce en la gargantas. Mi hermana y yo nos miramos, «el mismo olor que perfumaba la casa de la abuela…». Hacía muchos años que no olíamos este perfume. Esto empieza a resultarnos gracioso de una manera nerviosa. Como si todo el día fuera demasiado negro oscuro y entonces esa ancianita llena de entusiasmo empezara a cantar «Jesús, la, la, la», con una convicción absoluta que ayuda a marcar el ritmo. La situación es especial, pero lo cierto es que nos libera un poco de tanta tensión. El viejo tapete en la mesa, las Biblias, las figuritas de las santas vírgenes, las panoplias del buen Dios y la mujer que no para con su «¡lalalá JeEEEsÚÚÚs!». No es posible. De buena gana la habría abrazado y le habría dicho: necesitamos gente como usted, Iglesia o no, es usted formidable. Es lo que esa señora habría merecido oír. Pero no puedo estallar en carcajada como si fuera un pirado. De repente, los nervios han cambiado de manera de expresarse: error de apreciación. Todo el mundo, por poco malicioso que sea, ha tenido un amigo con el que la mínima mirada de complicidad podía desencadenar una risa floja irresistible, *sobre todo* en la típica situación en la que no había que reírse. Como en clase. Como ahora. Desde que éramos muy pequeños, mi hermana y yo hemos compartido la complicidad de la risa. Solo con notar que mi hermana tenía ganas de soltar una carcajada, yo ya sentía el cosquilleo. Y aquí está, resurgiendo de lo más recóndito del agujero negro. Nos ataca una risa floja imparable. Y cuanto más reímos, más pone la ancianita toda su alma en las canciones de «Jesús regresas a nosotros lalalalá», ¡ay, a este paso va a conseguir sacar el jarabe de anestesia!, esa especie de Coca-Cola sin burbujas con sabor a regaliz que siempre nos daba la abuela. Esto es una parodia. ¡Lalalá-Jesús por aquí, Jesús por allá! Y ala, pone un disco en la pletina con una especie de coral de monjas, un gospel muy blanco y muy lánguido. ¡Ay, Dios mío! Resulta espantosamente cómica la manera que tiene de cantar por encima con esa voz de pinzón reivindicativo. ¡Lo da todo!

Trato de no cruzar la mirada con mi hermana, me da hipo de tanto aguantarme la risa. Y cuanto más se afana esa pequeña porción de señora en organizarnos los cantos de la ceremonia, más deseo sentimos de mostrarle nuestro agradecimiento y más imposible nos resulta contener la risa floja.

Regresamos a casa. Las risas espasmódicas ya se han calmado. El ceño se frunce y cada uno se sumerge de nuevo en los gestos más oscuros de su rostro. Entierro mi sombra de gigante en la fosa de mi corazón, una especie de lavadora con sangre en lugar de agua y piel en lugar de ropa. Tiempo de secado: toda una vida.

Cuando hablo, oigo latir mi corazón en la garganta y eso me desestabiliza igual que cuando oyes el eco de tu propia voz en el móvil. Con la sombra en la fosa de mi corazón, ese sonido se amortigua ligeramente. Tapono las brechas para aprender a no resquebrajarme continuamente y para ayudar a los demás. Solo funciona a medias.

Cuando me llegue el turno de morir, me gustaría evaporarme. No quiero que alguien al que amo tenga que elegir dónde enterrarme y en qué caja.

Me voy a mi habitación. Todo sigue igual. Me tumbo en la cama que cruje igual que siempre. El interruptor hace el mismo ruido que siempre. Pienso en el gigante sombrólogo, me da un poco de miedo pero prefiero pensar en él antes que en cualquier otra cosa. Siento que la sombra me une a él, me zarandea los sueños, necesitan ejercicio, eso me conviene. Hojeo de nuevo el libro pero sin concentrarme en la lectura.

Me pesa todo el cuerpo, creo que es porque un corazón roto se diluye por todas partes a través de las venas, se extiende y se infla. Y te vuelca como si acabaras de darte un buen porrazo al caerte de la bicicleta, desnudo. ¡Restregadme asfalto helado por la boca, arrojad las costras de gravilla cortante, clavad! Vamos, yo me largo de este cuerpo. ¡Sí! De todos modos, desde que era pequeño, me parece demasiado pequeño. El gigante ha sido muy considerado prestándome una sombra grande. ¡Ese tipo es un astuto psicólogo, aunque solo fuera por eso ya me compensa su visita!

Toda la familia está en casa, a la espera del entierro. Cada cual hace acopio de sus herramientas vitales para seguir adelante. Algunos leen, otros guardan silencio. Nos esforzamos para no irnos a pique, ponemos de nuestra parte en cada pequeño gesto.

¡Qué voluminosa es esta sombra! Tengo la impresión de que voy a tirar todo con ella. Toda la vida he conducido una bicicleta y ahora aquí estoy a los mandos de un viejo tren que no sé dónde aparcar. Estudio mi sombra y trato de darle la forma de un pájaro *cool*, un pájaro que vuele con clase. Uno que sea más ligero que el aire y se ponga al mundo por montera. El tipo de pájaro sin glándulas lacrimales que ni siquiera llora cuando le da el viento helado en plena cara. El tipo de pájaro del que tú te sentirías orgullosa de haber incubado. Un bicho tan fuerte que pudiera ir a secuestrarte al país de los muertos, atrapar las estaciones en la palma de la mano y dirigir la aguja del tiempo hacia la primavera. Todo es posible, es preciso que todo sea posible, de lo contrario no podríamos seguir adelante, ¡«todo es posible», qué menos! Algunas veces solo necesito esconderme, en otros momentos desaparecer, para que me dejen en paz, y no pensar en nada. Aunque lo mejor sería que me hiciera un traje de pájaro con mi sombra y volar, porque estoy harto de arrastrar la cara bajo tierra, de no ver ahí absolutamente nada y pienso que, quizá, en el cielo, o justo encima, te encontraré.

Entonces, me pongo manos a la obra para hacer algo con mi sombra. Intento darle forma con mis dedos y noto que está fría. Tiro de arriba, me da la impresión de tensar una vela. Me hace daño, como si me estirase del pelo. La masajeo a lo largo y descubro que el dolor se atenúa; no cabe duda, la sombra funciona del mismo modo que un músculo, hay que calentarla. Me acurruco con la espalda apoyada en el radiador eléctrico. Me veo en el reflejo de la ventana. Parezco un murciélago viejo y cansado. Con estos brazos delgados a modo de varillas, casi se me confundiría con un gran paraguas negro. Pues este es el resultado de los primeros manejos, ¡parezco un paraguas viejo! Una especie de loco volador de principios de siglo en versión gótica. Vampiro alado revisionado, a base de paraguas roto. Lo acepto. Con este chisme colgando detrás de mí se pitorrearán en mi cara por la calle, pero si funciona, y si vuelo, los mismos que se burlan vendrán muy amigablemente a hacerme preguntas del estilo: «¿Cómo lo has conseguido? ¿Dónde se compra esa cosa? Eh, puedes firmarme un autógrafo…, es para mi hermano pequeño…».

Cojo impulso en el pasillo… Empujo con las piernas y…, pues bien, de momento esto no vuela. Hace el ruido de diez mil mariposas clavadas en el tímpano, pero de volar nada.

Me quedo completamente clavado en el suelo.

Por suerte, lo hago de noche, porque creo que eso de verme apelotonado contra el radiador medio desnudo, confundiendo el pasillo con una pista de despegue alarmaría a toda la familia. En otra época, me habría ganado un buen sermón del tipo: «Vamos, Birdy, ya está bien de tanta tontería, ve a poner la mesa», pero ahora, no. Son otros tiempos.

No tengo el manual de instrucciones de las sombras, así que me temo que tendré que inventarlo, y de momento no me sale muy bien. El gigante me advirtió que debería apañármelas solo. A partir de mañana por la noche, probaré cosas nuevas.

Pienso, por ejemplo, que si enciendo un mechero durante mucho rato, el aire caliente inflará mi sombra y volaré sin rumbo fijo, igual que un auténtico globo aerostático humano. Me sentará muy bien sentir cómo los tobillos ceden al dejar el suelo, ¡despegar! Con delicadeza, como si el viento en persona fuera a recogerme con sus dedos. Ahí estaría yo, muy concentrado, con el pulgar sobre lo blando del mechero para conservar el aire caliente, ¡y doblaré las rodillas como para meter el tren de aterrizaje!

Siempre me ha gustado volar, incluso en un tremendo avión supersónico tan sexy como un autobús climatizado celestial. No sé por qué pero me levanta el ánimo automáticamente; debe de ser algo físico. Por lo tanto, imagino que volar con mis propias alas, solo con un poco de fuego y sombras, me produciría el mayor de los placeres.

III

Hay que ponerse en marcha. Enfundarse el traje. Es el mismo traje que visto en mis conciertos ya que no tengo otro. Todo el mundo está triste a la vez que guapos. Bien vestido. Las manos se ocultan en los bolsillos. En el pantalón del traje holgado puedo apretar el relojito roto. Allá vamos, pese a la piel de los ojos tan arrugada como la superficie de un lago un día de mucho viento.

Los invitados al entierro caminan inclinados como fantasmas de árboles muertos. Las personas que queremos nos rodean, parecen incómodos y cargan con una bolsa de amor en los brazos. Quieren dárnosla sin que nos estorbe. No sabemos qué hacer con todo ese amor en los ojos de la gente, con las flores y con la beatería que parece impregnarlo todo. Han venido disfrazados de regalos oscuros. Los hombres trajeados, yo el primero, las mujeres endomingadas para la muerte. Puede decirse que es por ti, puede decirse lo que se quiera, pero queda la muerte y nada más.

El sol golpea la iglesia en el momento en que llegas dentro del ataúd que tanto nos costó elegir. El sol golpea sin calor, como un recuerdo del verano. Los plátanos del pueblo nos indican el camino, ellos también se han puesto su traje oscuro para la ocasión. Arrastran el viento en sus ramas, es la música de fondo, para que el silencio no engrandezca demasiado el vacío. Y el viento agita las ropas bien planchadas y los cabellos bien peinados. La gente deja sus bolsas de amor en el suelo y todo se hace añicos. Conozco ese ruido de corazón roto. Incluso las flores que se rozan entre ellas suenan como huesos. Quiero a esa gente sencillamente por estar justo donde están. No pretenden nada más que eso, estar ahí. Siento que se me despliega la sombra, me agarro a ella y la meto hecha una bola en los bolsillos del pantalón; no quiero que la vean. El ataúd está ahí.

Siempre podéis organizar esto solemnemente, abrir el maletero del coche fúnebre y las puertas de la iglesia, pero ella ya se ha ido, hay truco. No la venceréis. Os aseguro que hay truco. Mi madre no está ahí dentro, ya se encuentra lejos, la conozco, es traviesa, no se la puede atrapar. A los traviesos no se les puede matar. Coge impulso para regresar, no le quitéis su impulso, no toquéis de esa manera la caja, vais a hacerle daño con las flores.

El sol golpea el ataúd, y todos nos adentramos lentamente en la iglesia. La ancianita, esa pequeña porción de drama cómico, agita sus ricillos canosos y pone toda su alma en la batalla contra el vacío. Es un apuesto Don Quijote, siempre hacen bien los don quijotes. En esta ocasión no me río. No entiendo cómo no me transformo en nada, pero aguanto.

Lisa lee dos poemas de mamá, los lee en voz alta. La imagen que despliega es la de un jarrón lleno de agua de lágrimas. Podemos ver moverse las flores negras y verdes en sus ojos, podemos oír claramente cómo crujen las espinas en su boca. Lisa lee para ti. Lee tus poemas para nosotros.

Salimos de la iglesia en dirección al cementerio.

¡Huye! ¡Sálvate!

El cortejo mortuorio, un enorme ciempiés con cabeza de coche fúnebre que hace ruiditos de asfalto, se desliza hacia la salida del pueblo. Son las once y los pájaros pían tranquilamente.

Jack el Gigante aparece a mi espalda, me arregla un poco el nudo de la corbata, el que tengo en la garganta, y alisa mi sombra con la palma de su enorme mano. Aún tiene el estúpido caracol pegado en la oreja izquierda. Miro a Lisa, veo que ella no lo ve, por tanto, no digo nada. Me vuelvo, los plátanos del colegio no nos han seguido, llegamos a la entrada del cementerio.

El pequeño tractor amarillo de los servicios fúnebres nos espera. Ha cavado por la mañana. Está todo preparado. El montículo de tierra removida en medio de las antiguas tumbas. Un centenar de rostros cerrados con doble vuelta entra en el recinto del cementerio. El ciempiés gigante se consolida delante de la fosa. El coche fúnebre escupe el ataúd dentro. Todo transcurre a cámara lenta. La gente arroja lágrimas, flores y puñados de tierra. Sé que estás encerrada ahí. Lo sé, pero no puedo creerlo. Ahora, lo siento. Soy capaz de verme desde fuera. Como un presentimiento que se convierte en una evidencia. No me queda sangre, tengo noche en las venas, negra y helada. Tiemblo, sombra y piel, como el foque de un barco. La gran tempestad, en silencio, por favor.

La temperatura de mi corazón cae bajo cero. Estás muerta. Mi sombra de gigante se despliega de nuevo y flota al viento. No es el momento. Se engancha en la acacia que te cubre. Jack surge de detrás de una tumba y la desengancha despacio.

Veo la fosa, con el ataúd dentro, y mamá dentro. Voy a saltar. El viento quiere acariciarme la piel, pero los circuitos están cortados. No siento nada, no soy nada.

Jack tira violentamente de la sombra, como el cochero de una diligencia que decide pararla en seco. Me asusto, me doy la vuelta. Jack me mira con su cara de esperpento.

Quiero gritar más alto que el último crujido de una secuoya, como si tuviera un micrófono clavado en mi corazón, otro en la garganta y hubiese instalado unos bafles enormes dirigidos hacia la fosa. ¡Escuchad este sonido!, son diez tormentas de truenos en la punta de mis diez dedos chascando contra mis dientes diatónicos la melodía de Dios o del diablo, da lo mismo cuál, yo quiero la que taladre y tú oigas. ¡Quiero despertarte, quiero que vuelvas con nosotros!

Jack permanece impasible, me oye gritar. Parece que está haciendo el tonto con unas sombras chinescas gigantes entre las ramas de la acacia. O que trata de aterrorizarme; es su manera de intentar que piense en otra cosa, he notado que es su estrategia desde el momento en que se me apareció.

Papá y Lisa tienen los ojos nublados. Bajo sus párpados se cuece la tortilla más amarga del mundo, corremos el riesgo de mantener ese sabor durante mucho tiempo. La gente nos mira como si tuviéramos la cara llena de sangre; sin duda debe de ser así.

De pronto, me avergüenzo ante la posibilidad de poner en un aprieto a todo el mundo haciendo el chorra delante de la fosa. No hago ni el menor ruido. El canoso de las pompas fúnebres me dice que hay que marcharse. El ciempiés de gente triste se disloca en la parte trasera del cementerio y se forma de nuevo en los coches. El tractor amarillo enardece sus tentáculos de metal. Pala mecánica bien engrasada, rugido de motor.

—Hay que irse, señor…

—Gracias —respondo para mostrarme educado.

—Con mucho gusto… eh… de nada, es lo normal señor.

Si no fuera por una cuestión de tradición y de respeto a los otros «habitantes» del cementerio, además de flores, te traería pasteles y libros. Pájaros, hacen falta pájaros, plantaré huevos de pájaro, iré a escondidas y tú acabarás por salir del cascarón, iré a regarte. Bebo tal cantidad de gaseosa que mis lágrimas tienen burbujas, ¿funciona lo de escaparse en una burbuja? Iré a recolectar todo eso, y tú no te perderás en la tierra negra, organizaré tu evasión. Los funcionarios y la gente que trabajan con la muerte no se lo creerán, probablemente opinen que eso no se hace, pero yo lo lograré.

Los allegados están en casa, donde la familia ha organizado una especie de picnic surrealista. Hay sándwiches de jamón, bebidas con y sin gas, pistachos; casi podría decirse que eres tú quien ha preparado todo esto. Aquí están las bandejas que te gustaba utilizar llenas de aperitivos. Los rostros se relajan un poco, casi se oye a la gente suspirar, luego hablar. La vida no puede detenerse, por tanto hacemos como si continuara, comemos sándwiches mientras mantenemos conversaciones banales.

Y, al final, esta normalidad resulta apaciguante. El murmullo de las conversaciones discretas, los ligeros ruidos metálicos de los cubiertos y los pasitos desordenados de la gente en el jardín. Aquí y allá, salimos del caparazón bajando la mirada y sin hacer ruido cuando resurgimos. Dejamos que se desentumezca un poco el mecanismo, como un piloto automático, aunque muy humano, que dijese: «Id a descansar un poco, yo me pongo al volante, no os preocupéis».

Me dirijo al cuarto de baño. Y, cuando paso delante de la puerta de tu habitación, tengo la impresión de que vas a salir, vas a hablar, con tus palabras y expresiones intactas. Me mojo la cara, me aliso los párpados y regreso con los demás.

Jack está en el jardín, junto al columpio. Come piñas de pino.

—¿No quieres un sándwich de jamón? —le pregunto.

—¡Baaaah! ¡Eso es comida de enanos! ¡No sabe a nada! Prefiero los árboles… Yo, amigo, de los troncos me como hasta las ardillas, y te diré que una ardilla tierna con un poco de sabia y el crujiente de la corteza es lo más delicioso, ¡no hay nada igual!

—¿Y la piñas te parecen buenas?

—¡Demasiado! ¡Son como pistachos a los que ni siquiera hay que quitar la cáscara! Los pinares son una fiesta para mí. ¡Y cuando esos frutos del bosque están rellenos de babosas, entonces, amiguito, eso es mejor que un After-eight!

—Me da miedo que la gente te vea, y que también vean mi sombra. No me apetece dar explicaciones ahora que eres un gigante que me ha prestado un pedazo de su sombra para ayudarme a combatir la muerte y todo eso. Más adelante quizá, en una canción…, pero ahora, me gustaría guardármelo para mí.

—¡Nooo te preocupes! Soy un gigante discreto, no acostumbro a llamar la atención, ¡ja, ja! *Look look ya!* cómo me mezclo entre el gentío —dice, susurrando con esa voz de trueno ahogada—. ¡Mirrrra!

Imita a un árbol separando los brazos y los dedos. El parecido con un roble quemado del desierto de los Agriates está bastante logrado.

—Vivo en tu sueño, nadie puede ver tus sueños. Y, aclarado esto —dice con su curiosa postura espalda encorvada y el índice apuntando al cielo—, debes seguir soñando con todas tus fuerzas…

—¿Soñar ahora?

—¡Ahora! Esa es tu magnífica arma para permanecer realmente vivo. Así es para todo el mundo, por otra parte. Sin embargo, teniendo en cuenta tu situación, ¡es una prioridad! ¡Sí, señor!

—¿Sí? No estoy seguro de saber aún cómo va eso de los sueños.

—Lee los tres libros que te he prrrlescrrrlito, te ayudarán a reactivar tu potencial onirrrllllico…

—Mi potencial onirrrllllico…

Me pongo en la misma postura de árbol muerto que él y trato de imitar su extraño acento escocés… Jack frunce el ceño y produce el mismo ruido que cuando vacías un vaso de agua en la hierba.

—¡ Pues claro! Estás vivo, por tanto eres una máquina de sueños en funcionamiento. ¡Lo único que tienes que hacer es seguir accionando el mecanismo! La prueba de que tu máquina de sueños no está estropeada es que tienes a un gran gigante bobo que ha venido a darte un pedazo de sombra y a comer piñas a tu jardín, ¡eh!

—Es por el relojito, no dejo de leer la inscripción del relojito…

—Ese reloj funciona con sueños, con el hecho de creer, y únicamente con eso.

—¿Sí?

—¡Pues sí! No obstante tienes que volver a aprender a reír, a comer con gusto, ¡debes reeducar tu gusto! Utiliza la sombra, lee, sueña, descansa, diviértete, aunque eso te parezca tan imposible como el día en que trataste de hacer el primer acorde de guitarra. Todo te parecerá ridículo, pero no abandones nada. ¡No cedas nada a la desesperación! Usa tus sueños. ¡Y si están rotos, pégalos! ¡Frótalos con tu sombra mágica, ya verás, amigo! Un sueño roto bien pegado puede volverse aún más bello y sólido. Hasta el punto de hacer añicos los límites de lo real. —Lo dice con una sonrisa acuchillada en su rostro tan viejo, tan viejo, que uno pensaría que es más viejo que los muertos—. ¡Ama las cosas! ¡Estás vivo! Y si te sientes muerto de tristeza, es normal, asúmelo. Sin embargo, no te dejes llevar, vamos… ¡Reivindícame un poco ese corazón!

Tengo ganas de soltarle que es fácil decirlo, y que tiene un aspecto ridículo con la cara llena de piñas y los dedos todos pegajosos de resina, pero siempre me da un poco de miedo, al mismo tiempo que me hace sonreír. Y por otro lado, me doy cuenta de que pone todo de su parte para levantarme el ánimo. Sigo escuchándolo sin decir nada.

—Necesitarás algo de tiempo. Los cataclismos son pesados de digerir. Pero métete bien la idea de vida en la cabeza. Aunque te parezca algo lejano, inaccesible, esfuérzate y ve a tu ritmo. Además yo estoy aquí para engrasar los mecanismos. Puedo tratar de aterrorizarte, jovencito; y también de hacerte reír. Necesitas historias, no solo para divertirte. Has de reaprender tus recuerdos sin permitir que el miedo te bloquee. Ahora esto es lo más importante.

—Pero no entiendo nada de la sombra que me has dado.

—Todo llegará.

Los niños, más o menos afectados por la tristeza, según la edad, juegan en el columpio. El vaivén me reconforta. Jack desentona en este pinar con fragancias de verano. Parece un trozo de noche perdido en pleno día. Huele a invierno. No obstante, su presencia caldea mi corazón. Da la sensación de poder sentirse aun más triste que yo. Más solo también, más todo. Me muerdo los labios porque no quiero llorar delante de él. Ya basta de llorar delante de la gente, eso los contamina y en dos segundos todo el mundo lloriquea.

Jack se levanta y se pone de nuevo en esa extraña postura arqueada, con los dos ojos y el índice apuntando hacia mí. Adquiere su aspecto serio, casi amenazante; resulta muy convincente. Claro que eso de medir cuatro metros y medio ayuda a tener aspecto serio y amenazante. Se pega con el travesaño del portalón y lo hace sonar como la campana de una iglesia, pero de una iglesia con campanas un poco podridas. Las nacelas vacías se balancean y un terrible ruido de viento acompaña, a partir de ese momento, el raudal de sus palabras.

—¡Aprenderás a masticar los cataclismos, pequeño, y te los tragarás!

—Conque consiga acabar las carnes poco hechas...

—¡Pues bien, harás un esfuerzo! Además, ¡los cataclismos son difíciles de tragar, pero resultan muy buenos para la salud y hacen crecer! *Look at your big uncle Giant Jack uh uh!* Yo me he comido cataclismos y, sin embargo, con ciento treinta años estoy en plena forma, sigo corriendo los cien metros en menos de diez segundos ¡y además andando! Como los mejores frutos, cogidos de las ramas más altas. Puedo fabricar viento agitando los brazos como un molino. Ralentizo a los pájaros en pleno cielo para mirarlos mejor. De vez en cuando, me como uno, y si es una hembra, lo aspiro entero, solo se ven los pies sobresaliendo de mi boca, como cuando te acabas los espaguetis. —Se detiene y se vuelve, parece que ha descubierto a alguien escuchándonos—. Y después, cuando ya los he mirado bien, a modo de agradecimiento agito los brazos en sentido contrario para acelerarlos y devolverles el tiempo que les he quitado. Cuando hace frío, añado truenos a la voz para alentarlos, y los pájaros aceleran como cohetes con plumas y luego desaparecen en el horizonte.

Lo miro, empiezo a tener tortícolis. Pienso que debe de estar muy solo para tener la necesidad de interesarse por los pájaros y la gente medio muerta; o que es realmente generoso, como la ancianita de la iglesia. Al mismo tiempo, no he entendido muy bien la broma de los pájaros que besa comiéndoselos.

—Pero ¿tú no te sientes un poco solo?

—¿Y qué? Tal vez sea un viejo gigante bobo y esté solo, pero mi sombra me permite viajar de incógnito y mis largas piernas marcharme lejos. También me ayudan mis recuerdos y mis sueños. Guardo el recuerdo de una chica que dormía en mi corazón, se despertaba a cada minuto para accionar los latidos y se dormía de nuevo. Un día, no se despertó y mi corazón se secó… Me golpeé el pecho, grité, me lancé contra los árboles, y nada.

—¿No tuviste miedo?

—¿Cómo? ¡Te olvidas de que estás hablando con un especialista en miedo! Las sombras, los escalofríos, son mi especialidad.

—¡Bueno, los payasos no se pasan todo el día riendo! Podrías tener miedo de vez en cuando, ¿no?

—Bufff, ¡nada que ver, nada que ver!

—¿Y qué le ocurrió a la chica que se escondía en tu corazón?

—Nunca regresó, entonces la reconstituí con los maravillosos recuerdos que me dejó y con granos de sueños que ella sembró un poco por todas partes en mí antes de marcharse. Modelé una esquina de la sombra a su imagen, igual que Gepetto con Pinocho, pero en versión enamorada, salvo que yo nunca conseguí darle vida realmente. Sin embargo, ella aún me ilumina, y en ocasiones me quema porque no la olvido.

—¡La mía también hace esa clase de cosas!

—¿Una llama-mujer?

—¡Aún mejor! Un destello vivo, amigo.

—¡Ah! ¿Y te la has comido?

—¿Los gigantes tienen esa desagradable manía o qué?

—¡NOOO, besado, quiero decir, absolutamente, con pasión!

—Pues sí… Pero, fuera bromas, ¿no te habrás comido a la tuya?

—Enseguida las palabras altisonantes…

—¿Y cómo acabó dentro de ti?

—Nos besamos, y puesto que ella era muy pequeña, cayó enamorada dentro de mí.

—¿Te crees que voy a tragarme eso?

—Qué ocurrencias tienes, *little man*… ¡Pero las cosas que me como van a mi estómago, no a mi corazón! Me siento más solo que los muertos, amigo. Nunca más volveré a verla.

Rompe las piñas que hace rodar entre los dedos, hacen un ruido como de cráneo partido.

—*I'm my own fuuuckin' Doctor, man!* JAMÁS tengo miedo, y ya casi nunca me duele el estómago. Mi corazón late solo, va por libre desde hace cien años. De momento, aguanta. Lloro en contadas ocasiones.

—¡De todos modos, los grandes como tú no lloran!

—Sí, mira… ¡Aguarda!

Se concentra, frunce de nuevo las cejas hirsutas. De pronto, los rasgos de su rostro se tensan, y parpadea haciendo el mismo ruido que el de un postigo golpeando. Ahora me fastidia un poco haberlo incitado a llorar. Brotan dos gruesas lágrimas, como propulsadas por la tubería de un riego. Yo no había visto nada tan impresionante desde que vi los géiseres islandeses.

—¿En qué piensas para soltar esas lágrimas?

—En la época en que mis lágrimas estaban calientes porque mi corazón estaba habitado por algo distinto a un fantasma de bricolaje. En la época en que lloraba por amor, ese gran lujo melancólico.

—¿Por qué? ¿Ahora las tienes heladas?

—¡Hay veces que hasta brotan en copos!

—¡Es demasiado! ¡Enséñamelo!

—Bueno, tampoco esto es un juego… ¡Vale, solo para que veas!

Noto que está orgulloso por hacerse rogar un poco, le gusta mucho que le miren cómo hace trucos de gigante. Casi me provoca una sonrisa con su meteorología sentimental. Que un tipo esté tan triste y solo hasta el extremo de tener un corazón congelador capaz de hacerle llorar frío… Durante un rato me ha arrancado de este horrible aperitivo de la muerte. Me doy perfecta cuenta de que se exhibe para mantenerme más tiempo distraído con sus historias de pájaros y de chicas, y eso me conviene…

Aunque no me encuentro muy a gusto en el pinar. La recepción toca a su fin, y yo estoy sentado en la hierba esperando a que el gigante llore nieve con unos buenos veinticinco grados a la sombra, cuando sé que para conseguirlo pensará en esa chica. ¡Cómo se me ha ocurrido la idea de provocarlo con eso! ¡Todo el mundo sabe llorar! ¡Qué idiota!

Ha cerrado los párpados y tosiquea a su manera, como un avión que traspasa la barrera del sonido. Charlotte y Mathilde están sentadas junto a mí. Me pregunto si verán al gigante con sus ojillos chispeantes. Las niñas me oyen hablar solo con el cuello estirado hacia el cielo igual que si llevara un collarín.

Tengo que regresar con el resto de mi familia. Trato de decir una frase adecuada para darle a entender que no puedo quedarme mucho tiempo.

—Perdona, pero he de…

—¡Chsss…!

Ese «¡Chsss…!» me ha producido un escalofrío en la nuca. Este tipo dice unos «¡Chsss…!» del todo impresionantes, con su largo índice como una regla de doble decímetro puesta delante de su enorme cara. Además, trata de llorar, resulta muy embarazoso. No faltaba más que eso, que me las apañe para humillar a un chico de cuatro metros y medio que pasea por mi jardín.

De pronto, le rechinan las pestañas. Tres copos de nieve se escapan y revolotean hasta arriba del portalón. Charlotte señala los copos con el dedo y dice «Nieva» con su voz de ratón dulce. Jack abre mucho los ojos, y en las comisuras se le forman unas enormes tartas de crema de nieve. Los copos más grandes que he visto en mi vida se depositan en las ramas de los pinos. Empieza a caer nieve sobre las flores de verano, se funde en sus pétalos y desaparece lentamente, tan incongruente como un monstruo en camisón cepillándose los dientes en mi cuarto de baño.

—Pero ¿estás bien? —Me asoma un poco de risa nerviosa en la voz.

Jack parpadea al tiempo que desvía su inmensa mirada.

—¡Pues claro que sí! —dice con un tono irritado—. Además, tengo que irme.

Lo miro cómo se aleja atravesando la verja a zancadas. En su carrera, tiembla la ropa tendida y choca los interminables pies contra los árboles. Al cabo de un segundo, ya no lo veo, pero lo localizo gracias al movimiento de dominó que provoca en la cúspide de los árboles. Me pregunto si no habrá aplastado algún animal con sus prisas de gigante torpe.

Se terminan los festejos de la muerte. La gente regresa a sus casas en grupos. Y a mí me asusta volver a la mía, aunque ya estoy en ella.

Aún tengo el relojito en el bolsillo del pantalón. Las sombras recobran sus derechos. Casi se las puede oír ajustándose en las cerraduras y en las patas de los muebles. Las sombras hacen unos ruidos de escalofrío. La mía no es la excepción a la regla.

Ahora el gigante debe de estar lejos. La casa se encuentra vacía. Incluso la familia se ha ido. Los vecinos vuelven a convertirse en vecinos. Cada uno ha dicho «adiós», «ánimo», «hasta pronto» o una mezcla de las tres cosas, y se ha marchado en su coche. Los coches han bajado por la urbanización, y al cabo de unos cuantos metros todo ha quedado en silencio. Ha regresado el vacío. Realmente nunca nos había abandonado. Sin embargo, ahora que toda la logística de la muerte ha llegado a su fin, aquí está de nuevo justo delante de nuestras caras.

IV

Aún me cuesta invocar los buenos recuerdos, los otros me caen encima de imprevisto. En la cocina, delante de tu encimera, las sombras siguen con su trabajo de zapa. Me pican los ojos y me vierten litros y litros de recuerdos muy recientes: aunque son los peores recuerdos.

Era un domingo. Tu último domingo. Nosotros regresamos de Lyon con papá. La tormenta rebotaba en el capó del coche. En la clínica dormías demasiado. Las enfermeras nos habían dicho cosas extrañas. Todas eran más o menos de Europa del Este, tenían un acento torcido, nosotros pensamos que por eso eran raras.

En el coche, fuimos consciente sin decírnoslo de que, quizá, nunca más volveríamos a verte. La tormenta y la noche quedaron empaladas en los limpiaparabrisas.

Dos días más tarde, tú viniste a Valence. Te esperábamos en el pasillo del hospital. Las puertas se abrieron llenas de sonidos eléctricos y médicos. Pasaste delante de nosotros en la camilla. Intentaste sonreír, tus ojos estuvieron a punto de encenderse. Cada uno de nosotros teníamos una de tus manos entre las nuestras, nos aferrábamos a los fulgores, queríamos que aguantaras.

Tu sonrisa permaneció, pero tus ojos no.

Los días pasan, la noche permanece. Te echo de menos. Echo de menos tus abrazos, tus pasos cuyo sonido creo reconocer. La mayor parte del tiempo, te echo de menos en conjunto, con tu voz y tu manera de ser mi madre. Te veo en el tren, en los niños refugiados en los regazos de sus madres. Sonrío un poco, luego me siento solo con mis escalofríos.

Sé que debo entrenarme a soñar y a recordar, no permitir que el vacío me infle la cara como un globo. Pero no lo consigo. Acarreo por todas partes los libros que me prescribió el gigante, los hojeo un poco, pero no tengo fuerza para concentrarme en su lectura.

Me vibra el teléfono, no contesto, pero escucho el mensaje. Es la voz de papá: «Han entrado a robar en casa, se han llevado las joyas de mamá».

No puedo hablar, estoy tan furioso como un dragón; si abro la boca pegaré fuego a la mitad del vagón. Los malos recuerdos se me aglutinan en la comisura de los labios. Tengo que escupir. Tormenta de guindilla. ¿Serán los nuevos vecinos ladrones de joyas?, ¿asaltacasas?, ¿pisasombras?, ¿rompesueños?

Pues yo escaparé de ellos, les daré cortes de mangas haciendo molinetes con los brazos, me saldrán moratones, me saldrán cardenales. Y si el insomnio me fatiga demasiado, iré a saborear el alba, a olvidarlos, sentado en mi tabla de surf, esperando una ola o a que nieve en el océano. Mi sombra estará tan afilada como un sílex e iré a instruirme en las cuestiones de la paciencia. ¡Espuma de nieve enroscada en las crestas! Me hacen cosquillas vuestras dentelladas de perros domésticos, ¡me río de ellas con sorna rabia ira ira ira rabia, sí!

Pero procuro contenerme y tan solo me muestro algo crispado ante ellos, porque siempre resultas un poco ridículo cuando estás furioso —sobre todo yo—, incluso a veces es bastante cómico. Pero este es mi último medio de defensa. Suceda lo que suceda, que me vuelva un corpulento sombrío o que me quede como un esperpento, jamás en la vida quiero convertirme en un mediocre.

El tren mece tranquilamente mis tormentas cerebrales. La película de la ventana aún muestra las llanuras verdosas del centro de Francia, un volcán apagado que ya solo escupe agua mineral y arbustos limpios sobre ellas. Devolvedme Islandia; ¡Jack, imita otra vez para mí a un árbol muerto, dame viento y tempestades! ¡Estoy harto de esta tarde agradable y plácida y me agota ver el paisaje domesticado a lo largo de la vía! Quiero crecer y para ello me da clase un gigante; sin embargo, voy a evitar convertirme en un adulto gris.

Es el momento de cambiar de tren. Me deslizo a un compartimento de cuatro literas, en las de abajo duermen dos niños, parecen ángeles en pijama. Su padre duerme en la de arriba a la izquierda. Yo trepo a la de arriba a la derecha; me recuerda las camas superpuestas con mi hermana durante las vacaciones de esquí. Me encanta este ambiente de campamento. Me distraigo con mi sombra de gigante, acercando y después alejando mis manos de la fuente luminosa. Si separo mucho los dedos como Nosferatu, siento frío en la espalda.

Descubrí que podía desenrollar mi sombra como una pantalla de cine. La coloco unos metros delante de mí para visionar mis sueños. No tiene sonido, es como las antiguas películas de superocho o las proyecciones de diapositivas. Salgo a la caza del tesoro por los rincones más recónditos de mi memoria, para encontrar mis preciosos recuerdos de ti.

En el programa de hoy, *Mamá directora de orquesta-cocina*. ¡Mi habitación se ha convertido en una sala de cine! Me instalo confortablemente bajo el edredón, ¡empieza!, reconozco la cocina, imagino los sonidos, los recuerdos.

Mamá era un poco hechicera a la hora de preparar la comida. Tenía sus recetas, que no quería desvelar a nadie. Su cocina era su taller, su antro de perfumes y ahumados. Montaba las claras a punto de nieve con un golpe de puño ligero como un redoble de tambores. En cuanto a las creps, parecía un DJ, haciendo malabarismos con los fogones de cocina calientes y las sartenes como si pusiera discos. Probablemente cocinara discos comestibles, o creps que podían escucharse en mi viejo comediscos de color anaranjado. Las creps estaban muy buenas, sonaban «crrrepitísssimas», ¡todo crujía!, ¡splashaba el aceite y los condimentos!, ¡nieve! Mamá cocinaba con nieve, estoy seguro, cocía la nieve, montaba las claras a punto de nieve, fabricaba los huevos y en ellos alojaba sus secretos. En ellos alojaba la historia de su vida. Danza de tapaderas. ¡Las fuentes chasquean, clic-clac! ¡Y las placas de cocina! ¡El pequeño minutero de plástico late como un corazón! Condimentaba, «con toda su alma» como se dice. Giraba los mandos de la cocina, subía el sonido, mezclaba, experimentaba. Cascaba un huevo y se lanzaba a una preparación, aunque fuera de alguna cosita fácil de comer, ya está, mírala a coro en su cocina, dirige el canto de su orquesta de golosos, ella canta.

Gritabas porque se te caían las cosas, te cortabas o te quemabas siempre el mismo dedo. Aquello desprendía tanto calor que parecía que cocinabas la casa entera y nos la servías completamente aromatizada. Ni siquiera con un ejército de tocadiscos enchufados en estéreo, logro reproducir el monstruoso sonido del crujido-cocción que orquestabas en tu cocina. Los cucharones timbales y las cucharas-glockenspiel sobre los platos, y los condimentos, ¡en pellizcos de maracas!, tus ¡chop, chop!, ¡tu España en los guisos! Tu cocina se baila, haced ruido, quiero seguir oyendo. Haced que vibre la escalera y el comedor, el reloj de hierro, cárgatelo, quítale las pilas, cómetelas, cuélgate de las agujas, remonta en el tiempo, al tiempo de antes, que crezcan de nuevo los abetos de Navidad. Al tiempo en que era posible que la puta puerta de tu habitación se abriera y te viéramos tras ella, abridme esa puerta, y agitad las fotografías. No has terminado el último libro que te regalé, ahí está, te espera junto a tus cuadernos secretos y tu boli-linterna para escribir de noche, ¡vamos por Dios! ¡Levantaos, levantaos, no puedo más con esa puerta!

Cuando caía la noche sabías armonizar muy bien tu orquesta de golosos. Pasta de creps alto, barítonos-peras bella Elena… Dime: ¿aún sabes?

Para mí, el objetivo de este «juego» consiste en seguir vivo pese a la muerte. Antes era un poco romántico con todo esto, ¡pero realmente solo es una mierda asquerosa! Ahora que voy al cementerio con papá, he cambiado de opinión.

Veo cómo se le tuerce el gesto siempre que se acerca a la tumba. Se repite lo mismo una y otra vez: arregla las flores, limpia, se «ocupa» de algún detalle.

Me encantaría poder contarle la historia del gigante, y de cómo manejo el duelo con la sombra. Cómo me escondo, cómo trato de rehacer mi vida interior. Pero es demasiado pronto. No encuentro las palabras.

Las semanas se desgranan. Papá se enfrenta al día a día. Decide pintar todos los postigos de la casa de color blanco. Tú querías una casa con los postigos blancos. Es su propia manera de vestir esta casa con una piel nueva. Se esmera, pone varias capas, aunque no consigue ocultar las sombras.

En realidad, papá no pinta los postigos sino que los recubre con un ungüento mágico. Mejor que una alarma vociferante o unos pastores alemanes. Postigos impermeables a los ladrones. La pintura quizá no se agarre a las sombras, pero cuando haya terminado con todas las ventanas, sé que continuará con el gran desafío de iluminar las sombras de la casa. Hay días en que tengo la impresión de que lo conseguirá.

Pequeñas victorias sobre lo cotidiano.

Papá pinta un cuadro de Charlotte, una imagen bastante evidente de cómo te proyecta en esa niñita que nos recuerda a ti. Se te parece físicamente, y tiene algún pequeño gesto tuyo.

Papá no tiene tu sentido de las compras alocadas y tampoco tiene tu sentido de la armonía de colores, pero se esfuerza con los detalles que sabe que nos gustan: la gaseosa casera o los yogures Actimel. Y se pone a cocinar tortillas de patata, ¡tu gran especialidad!

La tortilla casi quemada, a la española, no sabe realmente como las que tú nos hacías.

—Está buena, ¿eh?

—Sí, muy buena.

Él sabe que no sabe igual, sabe que yo lo sé, pero no decimos nada. Al mismo tiempo, su tortilla está buena, papá no se las apaña mal.

Después de haber entrado varias veces en la cocina, bromeamos sobre nuestra triste condición respecto a la comida.

—Bueno, ¿qué comemos? ¿Pasta?

—Ay, no…Bueno, supongo que hoy *sí* comeremos pasta.

Es la hora de los abetos, guirnaldas, estrellas y todos los chismes brillantes propios de adornar la Navidad. Este año parece que me abofetean sistemáticamente.

Todo el mundo se ha entrenado para imitarte en la manera de hacer los paquetes. Colores, papel plateado, cajas en forma de corazón o de caramelo.

Este año, el objetivo era salvar la Navidad por Mathilde y Charlotte. Las niñas rieron, se pasaron todo el día corriendo de un lado a otro con sus juguetes nuevos. Creo que hemos imitado bien la Navidad, sin pisarla con nuestros zapatones tristes. Hemos copiado tu manera de arreglar la mesa, de poner velas de colores, acebo, lazos alrededor de los vasos, fervor decorativo, magia lúdica. Huele a homenaje. Nadie dice nada, pero todo el mundo lo sabe. Las orejas de carnaval, tu especialidad, están en la mesa; sin embargo, nadie se atreve a comer la primera. Oigo tus pasos del año pasado, resuenan bajo el abeto.

La Navidad, para papá, para Lisa y para mí, se ha terminado.

Junto a la chimenea veo una cajita de armónica. ¡Qué extraño! Ya hace años que nadie me regala una armónica, porque me ocupo yo mismo de comprarlas. Compro a menudo pues las desgasto ensayando nuevos tonos o, sencillamente, las pierdo. Parece que la armónica es el regalo «complemento». Te encantaba hacer eso, añadir una cosita, que a veces hace más ilusión que el regalo importante.

Observo la caja con el rabillo del ojo. El resplandor del plástico y de la inscripción brilla, la caja parece nueva, salvo que la tapa está algo estropeada. Como si alguien la hubiera lanzado contra una pared... o desde lo alto de una chimenea, por ejemplo.

Abro la caja y me encuentro con una armónica baja en mi bemol, grabada «GIANT JACK HARP». ¡Me lo imagino paseando su enorme esqueleto por la urbanización y poniéndose de puntillas para tirar una armónica por el conducto de la chimenea de la casa!

Esto me recuerda a cuando tú insistías en que preparase una taza de chocolate caliente para Papá Noel, e íbamos los dos a dejarla como un objeto sagrado en el saliente de la chimenea, justo antes de acostarnos. Al día siguiente, aparecía a medio beber, y yo creía a pies juntillas que Papá Noel en persona se había deleitado con mi chocolate caliente. Me encantaba eso, y cuando ya tuve edad de comprender la mentirijilla, me seguía gustando esa idea. Si algún día tengo hijos, se lo haré a ellos.

También me han regalado ese pequeño instrumento de las islas, un ukelele. Por supuesto, no es de madera de koa, porque ese árbol hawaiano está en vías de extinción. Pero vibra como las auténticas, las fabricadas en los años treinta. Hay que habitar su espíritu un poco, eso es todo. Con tanta sombra trajinando por la casa, estoy en una buena escuela para ello.

Venga, allá vamos. Mi hermanito sónico está arrellanado en mi estómago, y yo canturreo, nos damos calor; esto me despierta ganas de cabañas, toda esa madera divertida que me acoge.

Cuando dan las doce, todo el mundo se acuesta. Espero un poco a que Charlotte y Mathilde se duerman —sobre todo no quiero interrumpirlas en plena sesión de sueño un 24 de diciembre—, y corro al pinar a tocar mi armónica nueva. Está en el tono para cantar la canción del gigante, *Giant Jack is on my Back!*

—*Giant Jack is on your back, littleman!* —me susurra el gigante con su voz de cuentacuentos de ultratumba.

Me sobresalto y eso le resulta gracioso. Pese a todo, este tipo me da un poco de miedo, no consigo acostumbrarme.

—Gracias por la armónica, ¡suena genial!

—Tócame algo, para que vea…

Con los nervios del cuello un poco tensos, toco la canción del *Giant Jack*. Me da apuro tocar canciones nuevas delante de él. Es igual que con papá. Ni en la época en que practicaba tenis me gustaba jugar delante de él. Quería hacerlo todo demasiado bien y de repente me ponía aún más nervioso de lo que ya estaba.

—Hummm…, ¡ya veo! —dice el gigante adoptando el gesto de un médico concentrado—. Déjame ver un poco tu sombra… —La coge entre los dedos, se la acerca al ojo derecho al tiempo que cierra el ojo izquierdo—. ¡Sí!

Muy bien. Ha espesado. Estás solidificándote, amigo. Y los libros que te he prescrito, ¿te sientan bien?

—Sí, Un poco… He leído el principio de la historia de la mujer acacia, la que clava sus espinas tan profundamente en el cuerpo de los chicos que besa que estos se convierten en coladores ensangrentados y empiezan a salpicar como sistemas de riego automático, arrojando sangre contra las paredes y contra la cara de miss Acacia, quien no puede dejar de reír y llorar al mismo tiempo.

—¿Quieres saber cómo sigue? Yo me lo sé… —carraspea— de memoria.

—¡Venga!

Se muere de ganas de contármelo, y me encanta la complicidad que tenemos cuando me cuenta historias, así que no me hago de rogar.

Jack estira los brazos y abre los dedos. Le crujen los huesos y ese sonido le divierte, sonríe con toda su carota de Robert Mitchum muy muy viejo.

—Después de haber despanzurrado a unos cien pretendientes, se enamora locamente de un hombre, hasta el punto de que aprende a acariciar con las espinas. Saben besarse tan bien que empiezan a crecer flores en el vientre y en la punta de las espinas de miss Acacia. Miss Acacia comienza a apreciar las cosas dulces que le crecen en el vientre y anuncia su deseo de ser madre.

—Y el chico, no me has hablado de él, ¿cómo es?

Hace una pausa y se pasa el pulgar y el índice por la barbilla.

—Hum… Digamos que es un gran modelo… Y la historia de la top-model a la que le operan las muelas del juicio y se infla como un hámster, ¿la has leído?

—Sí, me la sé, se le hincha tanto la garganta que sale volando y se encuentra vestida solo con un picardías en mitad del cielo. ¿Cómo termina la historia de miss Acacia?

—Es una historia en curso… No se sabe el final… —dice, evasivo.

Se pone a canturrear:

—*Giant Jack is on your back, he takes off his shadow and put it on yOOOu.* Ve a buscar el ukelele, cantaremos los dos.

Ni siquiera me paro a responder. Corro por el pinar a toda marcha como en los buenos tiempos. Estoy nervioso como un flan, auténticas sensaciones de Navidad. Regreso sin resuello tras haber trepado el pinar con la guitarra en una mano y el ukelele en la otra. La luna destaca en la noche, los árboles parecen atentos, es un buen momento para tocar un poco de música con un gigante.

Con el contrabajo bien plantado sobre las rodillas, Jack tiene casi las mismas proporciones que yo con el ukelele.

—Si consigues que en el escenario la gente crea que el ukelele es una guitarra, se imaginarán que eres un gigante, ¡ja, ja! Así se hacen los gigantes en las películas. Los rodean de cosas pequeñas para desvirtuar las perspectivas.

—Deberías hacer cine, serías muy convincente en un papel de gigante.

—Me sorprEEENNNdes —dice con su voz tormentosa.

Entonamos *Giant Jack*, la canción del Gigante.

Dentro: ukelele-guitarra

—*Giant Jack is dead!* —canto yo.

—*Giant Jack is maybe dead!* —responde él, y así continuamente.

—*Giant Jack looks dead!*

El gigante imita los ruidos de tormenta y viento con la boca y chasqueando los dedos, es total.

—*Giant Jack is NOT dead!*

Estribillo, a coro: *He's carrying his shadow from his grave city grave, skeleton trees growing on his own grave, I'm trembling cold like an arctic wind blowin', blowin' trough his mouth, blowin trough his teeth…*

—*He's on my back now!*

—*I'm on your back now!*

Descanso:

Jack agarra la punta de un árbol y la utiliza como una sierra musical. El ruido de las patas de los pájaros bajando precipitadamente por las ramas da ritmo al descanso. Parecen extraterrestres que salen de una nave espacial de madera. Estiran las alas hasta la punta de las plumas, como futbolistas calentando, y se ponen a silbotear con nosotros. Un cucú escondido no sé dónde ataca con un *sample* de hip-hop, un pájaro carpintero martillea el tronco al estilo punk-rock. Jack saca unos cuantos caracoles del bolsillo y los aplasta con los dientes. Rítmicamente, no está mal.

De pronto, suelta el abeto y los pájaros salen disparados por todas partes, silbando de manera desafinada. Jack estalla en carcajadas. Es la primera vez que lo oigo reír de verdad.

Cuantos más pájaros se van a paseo, más ríe él. Se pone de color rojo escarlata. Se enciende literalmente, brilla como otra luna, todo está iluminado en el pinar. Jack el

Gigante, capitán de las sombras, desafía al día. Le recorre la frente una vena gorda, su risa se vuelve aguda, contagiosa.

Amanece y decae la euforia. Jack me hace un gesto de despedida con la mano, luego desaparece por detrás de los grandes abetos.

Me quedo un poco solo, sentado en el pinar. Me ha venido muy bien cantar, había olvidado lo bien que me sienta.

¡Venga, adelante! Es preciso que todo se acelere. Esta noche paso de los sueños y de la realidad. Dormir, comer y todas esas estupideces de ser vivo, no quiero volver a oír hablar de ello. Vivos, cerrad las bocas, muertos, cerrad la bocas, yo me largo. ¡Estrellas venid, os cogeré una a una! Vamos, venid a sumergiros en mi boca, estoy vacío, tengo hueco. ¡Poseedme, haced como en vuestra tierra! ¡Brillad!

Sé perfectamente que no estoy preparado, pero ya basta de saber, ahora quiero sentir. Por ejemplo, el viento fresco de todas partes, quiero viento. Y si me resbalo con la cáscara de un plátano del espacio y me aplasto la cabeza de niño demasiado viejo contra la puerta del garaje, recogeré los pedazos y me pondré un apósito de sombras, sé hacerlo.

Delante de mi ventana, el parque natural de Vercors. En la cima, el cuello de la luna. Iré a ver eso de cerca. Puedo abrazar algo. ¿Habrá brazos? ¡Luna, tiende los brazos! Treparé por el pinar, como cuando era pequeño. No iré a gritar frente al viento, no iré a llorar a la cueva adonde iba a refugiarme después de mis berrinches, ni iré a pegarme sabia en los pliegues de los dedos, no regresaré con un pantalón agujereado en las dos rodillas, no jugaré a fútbol con las piñas de los pinos gritando, pero daré un salto, y en lo más alto, inflaré el pecho como un lobo, y mi sombra se erguirá igual que una vela negra.

Corro hasta perder el aliento, me tropiezo con las piñas, cojo impulso en el tejado de casa, las tejas se mueven, huele a chapa quemada, ¡vuelo!

Mi sombra de gigante se equilibra como un ala delta, me dirijo aleteando los brazos. *What a fucking'bird!* Jack se alegraría. Arranco las estrellas como se cogen las cerezas, sin tomarme la molestia de quitarles el rabillo. Las horneo en la garganta.

−¡Eh, comefuegos! ¡Te vas a ahogar, colega! −me arenga una voz conocida.

El horizonte abollado de montañas se aproxima. Aún tengo hambre, pero también me meto algunas estrellas rotas en el bolsillo para llevármelas a casa. Esta noche, necesito la luna, ¡mínimo la luna!

Hago añicos las quejas del cielo a patadas. ¡La luna rodará! Mantengo el equilibrio sobre Vercors y sacudo el cielo como un ciruelo. ¡Esta noche la luna caerá en mi mochila!

El cielo sangra, la luz de la luna derrama torrentes eléctricos por el agujero de las estrellas muertas desde hace mucho tiempo. Sacudo, las estrellas caen de nuevo, provocando aquí y allá incendios y fuegos fatuos. ¡Amigos, llueven estrellas! ¡Asomad los morros, ahora el cielo se convierte en estrella fugaz!

La luna tiembla, tose y escupe nubes de brumas.

Cuando la luna haya caído, la haré un ovillo, me la meteré en la mochila e iré a plantarla al cementerio, sobre tu tumba. Está muy bien eso de que descuelguen la luna para ti, incluso aunque estés muerto; es algo que sosiega, ¿no?

Ay, cuánto daría por abrazarte y besarte en la frente, desgarrar la noche, colgarte a mi espalda. Te llevaría lejos, te soplaría por toda la piel, tú lo sentirías, te sentirías exactamente igual que antes.

Esta sombra empieza a picarme seriamente. Arrastra por el suelo, está agujereada, me irrita. A gusto iría a rascar detrás, a ver qué ocurre en el país de los muertos.

Venga, ya está decidido. Esta noche, nada de asomníferos, algún dulce y, alehop, corro al cementerio.

Mi madre era una buena compradora, no sé cómo se las apañaba para escoger los productos, pero debía de conocer la capacidad del frigorífico al centímetro cúbico porque siempre lo llenaba hasta los topes y nunca tenía dificultades para cerrarlo. Y además, estaba lleno de colores, podría decirse que solo compraba cosas para que hicieran bonito. Cosas serias, como jamón, latas de bonito, y también un montón de dulces.

Rebusco en los armarios del cuarto de la plancha. Encuentro un maravilloso superviviente: ¡un paquete de Pim's! El crujiente del chocolate y la fina capa de naranja untada debajo siempre me han puesto de buen humor. Como una galleta en la cocina, otra en la escalera del garaje, luego me meto las demás en el bolsillo. Mi fiel caballo de batalla con ruedas está preparado. Don Quijote 2000 va a combatir contra la muerte.

Bajo por la urbanización, resulta agradable hacerlo en una tabla de *skate*, la pendiente permite una buena velocidad y el asfalto está correcto, pese a algunas terribles trampas en forma de gravilla. Es la hora en la que los perros imitan demasiado bien a los lobos. Mi sombra se infla y realizo dos o tres gestos de pájaro con los brazos, por si acaso, pero no funciona. La ventana de la vecina está iluminada. Dos ojos me miran coger la carretera del cementerio sobre la tabla de *skate* en plena noche, aleteando los brazos y doblando las rodillas. La vecina tiene dieciséis años y yo treinta, a lo mejor se imagina que por la noche me convierto en un pájaro con ruedas, a lo peor, que no debería fardar con las rodillas flexionadas y los movimientos de brazos, porque todos sus amigos de clase patinan mucho mejor que yo. ¿Qué coño hace mirando la carretera a estas horas? Tal vez sueña con un príncipe encantado, o espera a un amigo en mobilette que le llevará hachís.

—¡Eh, ahí va una fardela en *skate*! —me grita de pronto.

Yo me siento muy orgulloso de que me compare con una fardela: esos frailecillos, pájaros emblemáticos de Islandia, se comportan de un modo que me gusta mucho, en el sentido en que tienen el equipamiento físico de un pájaro, gestos de pájaro, y sin embargo, a la hora de despegar, su eficacia es la de un san bernardo artrítico. Corren por el agua, aletean, a duras penas cogen unos centímetros de altura y encallan sobre la espuma como mierdas. Curiosamente poseen una especie de gracia en su manera rolliza de rasar la panza contra el mar. Casi te dan ganas de llevarlos en volandas para que se crean que vuelan un poco. Su modo de caerse es más bello que un despegue perfecto. Última acrobacia poética, que genera amor y risa en apenas unos pocos segundos. La versión en pájaro de Charlie Chaplin. Me gustaría mucho ser así, más que un súper Ícaro musculoso: bueno, tal vez diga eso porque no soy muy gordo.

—¡Eh, fardela en *skate*!

—Ah, ¿sí? ¡Uy, muchas gracias, señorita! Me encantaría llegar aunque fuera al tobillo de esos delicados pájaros!

—¿Cómo? ¿Qué pájaro? ¡Fardo! ¡He dicho fardo en *skate*! ¡Ve a acostarte!

No he oído a la vecina que, anda ya, no sabe nada de pájaros, ni de *skate*, ni de nada, y que tiene una mata de pelo tan gorda en su asquerosa lengua que cuando dice «fardo» pareciera que dijese «fardela», a menos que sea su aparato dental el que funciona mal.

Continúo el descenso sin utilizar demasiado los brazos. Atravieso el pueblo con las manos en los bolsillos como un miserable espectro, enjuto y lejos de las cosas de la dulzura. Tengo los pies atornillados a la tabla, ruedo a la velocidad ideal para hacer slalom entre las sombras y hacerme pasar por una de ellas. Cuando esté de vuelta, iré detrás de las sombras de la casa, a ver cómo va eso, si se abren o qué. Exhalo neblina fría, y esta se extiende bajo la luz blanca de las farolas.

Cuando llego a las cercanías del cementerio, empiezo a temblar. No porque tenga miedo de los fantasmas o cosas de ese estilo, ¡uy, no, no, no! Sencillamente porque me siento monstruosamente solo, yendo de este modo a rondar cerca de tu tumba en plena noche. Camino por las sendas con paso cuidadoso. La gravilla suena hueca. El sendero que lleva hasta donde reposas parece mucho más largo que a pleno día.

Por fin llego a tu tumba, que está decorada con esa acacia y sus sombras que conozco tan bien. Ahora que siempre es de noche sobre ti, esta vez literalmente pues hemos colocado una losa de mármol para depositar lágrimas, recuerdos y flores, soy consciente de tu muerte. No acepto nada, pero soy consciente.

Hay una jardinera, aunque no crece nada en ella. Para que quede un poco más bonito, hacemos trampas con las formas de colocar los ramos de flores, «así está bien, ¿no?», cuando lo único que nos preocupa en realidad es levantarte, decir ¡ya está, se acabó la muerte! La guerra ha terminado, despojémonos de nuestras ropas de material de noche, ¡que las estrellas vuelvan a brotar! ¡Quítate de encima la muerte!, ahora ya me estás cansando, se acabó, idos a paseo con vuestras estupideces de funerales y vuestros epitafios gratuitos con ese féretro último modelo.

—Pero bueno, esto es un cementerio, traemos flores, lloramos y nos marchamos solos, ¡no se admiten estrellas! —me dice una voz de anciana. Me pregunto de dónde sale, miro a mi alrededor, nada. Respondo:

—Mi madre volverá, la espero con estrellas y pasteles, se ha hartado de flores, se ha hartado de estar muerta, es demasiado tiempo…

—Señor, hay que aceptarlo.

—Eso es lo que dicen, sí. Eso va junto con la panoplia de crisantemos.

—No sirve da nada enfurecerse con la muerte, señor.

—Lo sé.

Entonces, vi aparecer al segundo fantasma. Delante de la tumba, sentado en la jardinera con el culo plantado en las rosas. La cosa más fea que haya visto en toda mi vida. Nada de ruido de viento, ni de manos gigantes golpeando la cúspide de los árboles, ni de imitación del cantante de voz grave de los Platters.

A primera vista, resulta menos amenazante que Jack el Gigante. Es un fantasma de talla menuda, chico o chica, no lo sé; sin embargo, tiene una voz metálica de anciana. Parece una documentalista agriada cruzada con un poli bigotudo, con traje gris y piel de pescado podrido. Los ojos de color blanco lechoso cuajado sobresalen de las gafas con gruesa montura. El pelo gris con una permanente al estilo de un taxidermista de ancianas. La boca de labios inexistentes, como hecha fundamentalmente para no besar jamás, rezuma. Los brazos cruzados parecen un pulpo muerto pegado al pecho, y la única nota de color, rojo, son las manchas de sangre fresca en la chaqueta. Su cuerpo se termina en unos espantosos pies de zampo que arrastran por el suelo.

¡Es de locos lo que ese bicho me recuerda a la madre de una chica que conocí! Esa mujer desprendía la misma suficiencia rancia y burguesa. Los rasgos de su rostro eran de una increíble fealdad. Nada lo bastante monstruoso para que se volviera atractivo o inquietante, justo la fealdad sucinta y mezquina de un mero cabo orgulloso de su triste galón.

—He arrancado unas cuantas estrellas y unos trozos de luna, quería dejárselos.

—No debe venir al cementerio en plena noche, señor, corre el riesgo de encontrase con la muerte.

—Usted ya se acerca a ella, ¿no?

—Yo no soy más que un funcionario de la muerte. Considere mi aparición una advertencia sin costes. No obstante, la próxima vez, tendrá que vérselas directamente con el jefe.

—¿El señor la muerte en jefe también se parece a una documentalista con traje gris cruzada con un poli bigotudo?

—No debe burlarse de la muerte, señor, sobre todo cuando la tiene delante.

—Qué oportuno, quiero luchar contra ella. Tengo una sólida sombra, me la dio un amigo gigante…

—Usted puede luchar contra su propia muerte, pero no contra la de quienquiera que descanse aquí. Hay que aceptarlo, señor.

Me miro en las enormes gotas de lluvia, ya no me reconozco. Me siento desdibujado, hasta las rodillas me tiemblan de rabia. Es un tambor lo que me golpea en el pecho. Lo arrancaré y lo tiraré al suelo, ya no aguanto más el ruido que hace.

Finjo marcharme del cementerio y me escondo detrás del panteón de la familia de Léon Thérémin. Espero a que se vaya el fantasma administrativo de traje gris con ojos grises, luego empiezo a tocar la armónica, enrollado en mi sombra. Actúa como una caja de resonancia. De pronto, la armónica tiene un bonito sonido de western. Me refugio contento en este pequeño instrumento. Mientras toco, tengo menos miedo.

Me cubro completamente con la sombra, en una posición que me permite ser invisible. Ser el Buster Keaton de las estrellas, volar de casa en casa para descolgar la luna, quizá no sea para mañana; sin embargo, hacerme pasar por una sombra cuando anochece es algo que ya domino.

He traído todo mi instrumental médico para los muertos, voy a probarlo sobre tu tumba. Miro detrás de mí: las sombras de las otras sepulturas me vigilan. Pero mientras se mantengan a distancia, continuaré con mis experimentos. Saco el walkman especial. Me coloco los cascos en las orejas para comprobar la música; una casete grabada especialmente para ti, con mucho flamenco y rock and roll de los años cincuenta. Tu música. He trabajado las mezclas para que sientas ganas de bailar y esto te recuerde a los buenos tiempos. Me quito los cascos y coloco los auriculares contra el mármol helado. Apenas percibo aún las canciones, el resto del sonido va hacia ti.

Vamos, baila, ven como un fantasma, como una sombra, como puedas, incluso como un hálito si quieres, pero ven ahora. ¡También tengo pasteles! Siete milhojas tiemblan de impaciencia esperando que los comas, y cuatro *éclairs* de chocolate con sabor a trueno. Los dejo junto a las flores, dispuestos como para que quede una mesa bonita. A ti te gustaba mucho poner mesas tan bonitas para comer como para mirar. Debes de estar harta de flores; toma, aquí tienes estrellas rotas recién cogidas del cielo y un trozo de luna.

Tengo la impresión de ser un extraño médico. El médico de mi madre muerta. Me pongo un auricular en la oreja derecha y el otro lo muevo por distintos lugares de la tumba. Te ausculto. Quiero oír algo, tu corazón creo. Muévete, golpea, aporrea, yo te ayudo, ¡allá voy! Vamos, arráncame este asqueroso mármol, escupe las flores, yo te daré palmadas en la espalda para que no te dé la tos, ¡ven, ahora!

No ocurre nada, excepto algunos restos de viento para recordarme que por aquí está el vacío. Nada, ni un hálito, ni una señal…

Tengo ganas de cavar a puñetazos, de mandar todo a paseo, de hundirme en la tierra.

Coloco de nuevo las flores de la tumba en su sitio, un poco como lo hace papá, porque además del viento que tira los jarrones casi todos los días, hoy, un guardián de la muerte ha plantificado su culo gordo en la jardinera y las rosas están todas aplastadas. Repentinamente, me siento incómodo con mis cosas desparramadas, así que guardo todo en la mochila.

Me tumbo junto a ti, al raso, para ver cómo amanece aquí. El espectáculo de las sombras que te cubren, el viento en las acacias, los fantasmas que se largan al alba. Me gustaría ver algo de lo que tú aún ves, cavo para encontrar otra cosa que no sean los recuerdos, cavo para conectar contigo.

Nuestra cita es aquí y ahora. ¡Intenta salir por la acacia! ¡Trepa por entre sus espinas, come las flores y ven a mis brazos, venga! Ahora ya hace mucho tiempo, y desgraciadamente es un largo tiempo que no dejará de aumentar.

De pronto, una enorme mano me amordaza mientras otra me levanta.

Es por la mañana, me despierto en mi cama. Veo un sobre negro en mi mesilla. Estiro el brazo izquierdo para cogerlo sin moverme, el resto de mi cuerpo está pegado al colchón. Lo abro y reconozco la letra de inmediato: la misma que la de la parte de atrás del reloj roto; es la letra de Jack el Gigante.

¡Eh!
Deja ya esas chorradas de ir a dormir al cementerio, o te quedarás allí de verdad. La próxima vez no iré a buscarte.

Jack

«Las sombras son pasadizos hacia el mundo de la noche, del invierno, el país de los muertos», me dijo Jack. ¡Yo necesito ir a ver! Aunque me haga daño.

Ya a los catorce años, después de mi primera ruptura sentimental, no podía dejar de ir a montar en bicicleta por los alrededores de la casa de la chica que me había roto el corazón. Olfateaba el aire durante unos minutos y regresaba a casa tan triste como un yunque, con las piernas doloridas por haber ido en la bici contra el viento. Aquello no me ayudaba en nada, me ponía enfermo; sin embargo, no podía dejar de hacerlo. Hoy, el síntoma es el mismo, es preciso que vaya al país de los muertos.

Me doy cuenta del estrecho parentesco entre las sombras y los fantasmas, porque en el cementerio y en casa los rozo. Los veo mezclarse entre los árboles y las tumbas, en la niebla y los vapores, se parecen, con esas voces de viento. Me asustan y me atraen como sirenas. No es que esté hechizado, sin embargo sé que estoy en contacto con el mundo en el que ahora tú te encuentras.

V

Dan las doce en el campanario del pueblo. Me envuelvo en mi sombra, compruebo que tengo intactas todas las partes de mi cuerpo, como en las pistas de esquí un día de mucho frío. No debe sobresalir nada. Estoy preparado, voy a ir a mirar detrás de las sombras. La casa está en apnea —lo está todas las noches—, solo tosen las sombras alguna que otra vez, cuando papá baja las escaleras en mitad de la noche.

Oigo un ruido de tormenta de fondo, el viento golpea los postigos de mi habitación. Sin embargo, hacía buen tiempo antes de que anocheciera. El que me tira piedras no es mi amigo Cyrz, ¿cómo se le ocurrirá tirarlas tan grandes y lanzarlas tan fuerte?

El ruido vuelve a empezar, acabará por cargarse la ventana. Abro los postigos de golpe. Ni un ruido. Echo un rápido vistazo al cielo: despejado, tranquilo y estrellado. Luego oigo una voz muy profunda que me dice:

—Si de verdad te empeñas en viajar al país de los muertos, mejor será que no vayas solo.

Es tan grande que no lo he distinguido al primer vistazo, pero ahí está Jack, entre la luna y las farolas. Apoya el hombro izquierdo en la casa y las piernas cruzadas le llegan hasta la carretera. Podría decirse que es la casa la que se apoya en él, y que si se mueve, el edificio se caerá de golpe.

—¡Te abro la puerta del garaje!

—*That's alll'rrright!*

Bueno, parece de buen humor. Cuando habla en inglés y rodando las «r» es que está de buen humor. Bajo por las escaleras de puntillas y pongo mucho cuidado para que no chirríen las puertas. Llego al garaje donde están almacenados todos los instrumentos musicales de mi banda eléctrica. Entre los raíles de mi tren infantil y la tabla de windsurf, descansan aguardando las próximas canciones… Espero que todo esto aún funcione. Las paredes están llenas de pósters de tenistas arrugados por el pegamento: John McEnroe, Jimmy Connors, Yannick Noah, Chris Evert, Monica Seles… es algo así como el Louvre de mis catorce años.

Abro las dos hojas de la puerta del garaje, igual que para meter el coche. Jack se agacha, pasa la cabeza, luego los hombros y, despacio, el resto del cuerpo.

Son las doce y diez de la noche, y hay un gigante en mi garaje.

Siempre resulta extraño ver a alguien que conoces en un contexto diferente repentinamente transplantado a tu vida diaria. Como cruzarse en el supermercado con la chica a la que has besado en lo profundo de la noche. A Jack lo he visto en el aparcamiento del hospital, luego en el pinar, en el entierro, pero verlo aquí, trajinando en medio de los pósters de tenistas, se me hace raro. Sobre todo que este tipo se basta consigo mismo en lo que a «raro» se refiere…

La situación es particularmente singular. El aspecto que tiene, todo encorvado, frunciendo los matojos de cejas mientras mira, dubitativo, a Henri Leconte apretando con rabia el puño, empieza a provocarme ganas de reír.

Al fondo del garaje, detrás de la bici de carreras de papá y de la mesa de ping-pong hay un póster clavado del equipo de fútbol de Francia 1982, con una inscripción arriba en grandes caracteres: «¡GRACIAS!».

—Gracias —dice con ese aire de «me comeré a todos los niños del barrio para desayunar». Ahí está, plantado delante del viejo póster del equipo de Platini y compinches, repitiendo gracias en bucle… Me pregunto qué cara pondrá cuando vea mi habitación.

Subimos las escaleras de puntillas: no es momento de despertar a papá con un gigante en casa. Sus enormes pies se lían con la mitad de las escobas, escobillas y hasta el aspirador, que ruedan por el hueco de la escalera. Jack se vuelve hacia mí y me dice:

—¡Chsss… eh! Despertaremos a tu padrrrrre.

En el pasillo le enseño las lámparas de araña y los cuadros, pero se pega con todo y la casa suena como si yo acarreara una campana resquebrajada.

—¡Chsss…!, eh, hemos dicho ¡chsss…! —me repite de nuevo.

Me invade la risa floja, pero se corta en seco: oigo que papá baja. Las escaleras que conducen a la entreplanta están hechas de una madera crujiente, es imposible moverse sin hacer ruido, incluso dentro de cien años reconocería ese sonido entre mil.

Meto al gigante en mi habitación, igual que un enorme montón de ropa en una lavadora muy pequeña. No consigue pasar por la puerta, yo empujo, él empuja, me da miedo que arranque el tabique con los hombros. Papá sigue bajando las escaleras, en pocos segundos estará en el pasillo. La luz se enciende, la puerta se cierra de un golpetazo, ¡salvado!

—¿Cómo se te ocurre dar semejantes portazos? ¿Sabes qué hora es?

—Ah, ¿sí? ¿Te he despertado?

—No. No dormía.

—Eh…, Eh, bueno, ¡voy a leer un poco!

—No te acuestes demasiado tarde.

—No, no.

—Anda, ¡buenas noches!

—Buenas noches.

Miro a papá que se vuelve a la cama. Oigo cómo hace crujir las escaleras y cierra la puerta de su habitación. Pienso que, tal vez, podía haberle presentado al gigante. Me ha pillado un poco desprevenido, eso es todo. Papá le habría enseñado sus cuadros y demás, y quizá Jack le habría ofrecido un pedazo de sombra a él también. Me habría gustado verlos bebiendo un Martini mientras ven la tele.

Quizá podamos hacerlo más adelante.

Jack está sentado en mi cama, que debajo de él parece un minúsculo traspuntín.

—¿Te apetece beber algo?

—Noooo, teniendo en cuenta mi tamaño, el alcohol no me resulta de ninguna utilidad. ¡Necesitaría litros y litros para emborracharme!

—No, no necesariamente alcohol, ¿tienes sed?

—Apenas bebo más que los muertos, solo una o dos veces por semana.

—Ah, sí, ¿los muertos no beben?

—No, en realidad tampoco comen.

No me atrevo a abordar la cuestión, pero solo espero una cosa: la salida hacia el país de los muertos. Entonces Jack empieza a explicarme que los fantasmas se alimentan únicamente inhalando niebla, y yo me lanzo:

—¿Crees que me harán probar la niebla?

—Los vivos no tienen suficiente aliento para inhalar la niebla, ¡necesitarías un narguile!

—¿Quieres decir que los fantasmas andan por ahí con un narguile?

—¡Claro que no! Los fantasmas están hechos de aliento, de auténticos trocitos de viento, pueden inhalar una cantidad increíble de niebla con una sola inspiración. En Escocia o en Islandia, los vivos y los fantasmas conviven en armonía. Cada uno cree y respeta la singularidad del otro y así les va muy bien. Los fantasmas están contentos de salir a inhalar las toneladas de niebla espesa que genera la tierra de su país, y los vivos están contentos de ver el cielo azul de vez en cuando gracias a esos tragones de nubes. Es una especie de equilibrio natural. Además, es muy bonito ver fantasmas inhalando bruma. Provocan toda una serie de hermosos remolinos. Manifiestan su placer con unos grititos muy finos: parecen sierras musicales desafinadas. Los fantasmas gritan igual que respiran, recuerdan el sonido que haría el viento introduciéndose en una flauta dulce.

Habla cada vez más alto y acompaña las palabras con gestos, hay viento en la habitación. Agita los pósters y entreabre mis libros de cabecera. Se interrumpe unos segundos, luego canturrea una melodía en falsete.

—Cuando son muchos, creerías estar oyendo una orquesta filarmónica de vientos tocando una partitura melancólica. Cualquier humano que percibe ese sonido rompe a llorar inmediatamente. *¡Llorrrrar Hombrrre!* Desde un viejecito medio sordo hasta una modistilla con tatuajes y pircing enganchada al punk rock, todo el mundo se deshace en lágrimas. Las lágrimas corren y las nubes se despejan dejando ver rayos de sol. ¡Y resulta que todo el mundo llora al sol! El sonido de los sollozos se eleva y rima con los hipidos interminables. Se forman arco iris en los párpados de la gente y cada uno se pasea con sus pedazos de arco iris entre las pestañas.

—¿Y no les dan miedo los fantasmas?

—No, han aprendido a conocerse, a reconocerse. Hay que acabar con los prejuicios sobre los fantasmas, los monstruos y todo eso, ¡ea! ¡Respecto a esa cuestión, en el sur de Europa estáis muy atrasados!

—Sí, aquí la gente tiene miedo hasta de los extranjeros.

—¡Pues imagina cómo me reciben a mí, un gigante de ciento treinta años!

—Sí, ¿cómo te reciben?

—Ay, siempre me vienen con la misma monserga: «Se comerá a nuestros hijos, nos romperá los coches, nos hará sombra…».

—¿Y nunca te has comido a un niño?

—¡Noooo, solo a niñas de más de dieciocho años, y aun así no lo hice aposta!

—¿Cómo es eso?

—¡Estoy bromeando, esa es una broma recurrente de gigante! Al menos hace cien años que no me he comido a nadie, ¡ja, ja!

—Y los fantasmas, ¿inhalan bruma con frecuencia? ¿También aquí, en Montéléger?

—Por supuesto, algunas noches puedes verlos picoteando por la orilla del Pétochin, debajo del puente, principalmente en invierno, cuando anochece. Los fantasmas siempre tienen hambre; por otra parte, de ahí sacan su máximo potencial en cuanto a provocar pánico: ¡los ojos hambrientos!

—¡Me has dicho que no daban miedo!

—Los humanos siempre temen un poco que vengan a comérselos, pero, por lo general, ningún peligro…

—¿Qué quieres decir con «por lo general»?

—Algunos fantasmas no aceptan su condición y durante una temporada siguen comiendo alimentos sólidos; tratan de regresar al mundo de los vivos para saborear a escondidas los platos de los que guardan mejores *recuerdos*. —Dice recuerdos con acento americano; parece la voz de Frank Sinatra a cámara lenta–. Los más feroces atacan directamente a los seres humanos. Les muerden del mismo modo que tú morderías un sándwich. Y entonces, con toda tranquilidad puedes encontrarte con una mano arrancada, ¡o incluso un trozo de nalga, si estas son apetitosas! Por eso te desaconsejo los paseos nocturnos por el cementerio. ¡A no ser que tengas ganas de que un fantasma te devorrrre el culo!

—Pero ¿no dices que los fantasmas no pueden comer?

—Comer no, pero sí devorar. Carecen de aparato digestivo, entonces vomitan, y cuando ya están hartos de vomitar, se hacen a la idea y aprenden a inhalar la niebla. Lo cual no les impide matar a gente de vez en cuando.

—¿Por dónde pasan para regresar?

—¡Adivina! Por el mismo camino que nosotros para ir…

—¡Las sombras!

—Las sombras son las puertas del país de los muertos. No todas, por supuesto, y no siempre están abiertas, pero por ahí es por donde todo se comunica. Hay un tráfico intenso en la tierra de los muertos, existen «barqueros» que conocen los pasadizos secretos y las horas en las que se puede pasar por ellos. Antes de lanzarme al doctorado en sombrología, yo ejercí ese oficio. Casi todos los muertos recientes quieren regresar. Ya sea para ver de nuevo a las personas que quieren, o para vengarse de los otros, a menudo por los dos motivos. Pocos se quedan mucho tiempo.

—¿Por qué?

—Porque les deprime estar muertos en el país de los vivos. Si ya no resulta fácil aceptar que uno está muerto, andar deambulando entre los vivos, cuando uno solo es un muerto, ¡es horrible!: ven a las personas que quieren, pero por más que hagan chirriar las puertas o tiren objetos, ellas no los ven. Siempre pueden refugiarse en sus brazos, pero esas personas no sienten nada y los muertos tampoco. ¿Te gustaría vivir a pocos centímetros del amor de tu vida sin poder tocarla? Eso es aún peor que no verla para nada. Porque aunque la muerte te quite el tacto y el aparato digestivo entre otras cosas, la memoria permanece intacta. Los muertos se acuerdan muy bien de lo que podían sentir cuando vivían. Regresar al país de los vivos en calidad de fantasmas produce la misma sensación que la de ser un diabético atado a una cama con forma de *éclair* de chocolate sobre el que vierten crema inglesa ¿Has estrechado fríamente la mano de la chica más tórrida que hayas conocido?

—Sí

—Pues bueno, lo otro es peor.

—Y al contrario, pasar a través de las sombras en calidad de vivo, está bien, ¿no?

—Sí, es posible. Lo ideal es no ir allí, más adelante tendrás toda la eternidad para visitarlo, pero si te empeñas tanto, ¡entonces voy contigo! Los peligros son muchos. El país de los muertos es siete veces más vasto que el de los vivos y resulta casi imposible no perderse. Allí uno siente tal sensación de sorpresa mezclada con éxtasis que, inevitablemente, se olvida de dónde procede. Igual que cuando a los submarinistas en apnea les da la «borrachera de las profundidades», no encuentran la superficie y mueren ahogados. No hay nombres de calles ni carreteras, es una especie de desierto por donde pululan fantasmas más o menos bien intencionados. Si te pierdes, puedes pasarte años bloqueado allí y convertirte en lo que se llama un «fantasma invertido», un vivo que habita el país de los muertos. Muchas de las desapariciones misteriosas se explican por ese motivo. Son personas que van a mirar detrás de las sombras y que jamás encuentran el camino de vuelta.

—Contigo, nada me da miedo, ¡conoces bien el camino de las sombras!

—Sí, pero tu sombra debe estar perfectamente ajustada, ¡como si te vistieras para escalar el Everest! Nunca reveles tu identidad de vivo a un fantasma, podría matarte por envidia. A algunos les entristece tanto haber muerto que eso los hace agresivos.

Jack continúa sentado en mi cama, pero cada vez se inclina más hacia delante. Si sigue así, se dará con la ventana en toda la cara y despertará otra vez a papá.

Reflexiono sobre lo que me ha contado respecto a la manera en que se alimentan los fantasmas, y me pregunto si tú, al otro lado, has adquirido esas costumbres. ¿Inhalas bruma? ¿Reconocería tu voz en una coral de fantasmas?

—¿Me llevarías a escuchar una coral de fantasmas?

—¡Allá adonde vamos, hay un festival eterno! Los gigantes cantan los bajos, los fantasmas de animales salvajes hacen los barítonos, los hombres los tenores, las chicas lo altos y los fantasmas de gatos los sopranos, con todos los matices, hasta los fantasmas de ratones cachorros, que por otra parte, desafinan mucho. Sin embargo, a mí, personalmente, ¡me encanta cantar con los ratoncitos!

—¡Ese es tu lado Gainsbourg!

—En los años cincuenta, por aquel entonces vivía en la isla de Skye al oeste de Escocia, grabé unas buenas sesiones de lloros eufóricos mezclados con voces de fantasmas. Había fabricado un aparato con un grabador de madera que llamé «sollófono». Solo era una cajita, como el estuche de una armónica, pero a mi escala. Le añadí un astuto mecanismo que permitía reinterpretar el sonido grabado según se acercaban más o menos las manos a la caja: la mano izquierda para el nivel acústico, la mano derecha para el tono, resultaba muy divertido. —Gesticula acercando y alejando las manos de mi cabeza, como si yo fuera el sollófono—. Tengo casetes enteras llenas de sollozos y voces de fantasmas.

»Un día, un tipo que respondía al nombre de Léon Thérémin vino a mi encuentro para preguntarme cómo funcionaba el sollófono. Llevaba años investigando sobre cómo grabar las voces de los fantasmas, pero su aparato no captaba los sollozos humanos. Le presté mis micros de célula ectoplásmica y le expliqué que resultaba muy divertido grabar en dos pistas separadas las voces de los muertos y de los vivos, para luego mezclarlas.

»Se marchó sin darme las gracias, y nunca más volví a verlo. Después, supe que él había "inventado" un instrumento de voces fantasmas que humildemente llamó "theremin", que no es otro que la réplica de mi sollófono. Vendió miles de theremines a los productores de películas de terror de los años cincuenta. ¡Se acabaron las noches de luna llena acechando las voces de los fantasmas ocultos tras las tumbas! El theremin revolucionó el cine fantástico. En la misma época, inventaron una máquina de humo, y se empezó a ver cantidad de películas de terror, todas ellas con el mismo humo y las mismas voces de fantasmas.

—¡Permitiste que te robaran el invento!

—¡Bah!, al menos aquello divirtió a un montón de gente. Sin ese tipo, el sollófono se habría quedado en mi casa, en el bosque. Yo ya tenía noventa años y medía más de tres metros y medio, habría sido un miserable representante comercial.

—¡Sí, les habrías dado un buen susto a todos con tu caja de fantasmas!

—¡Pues sí! ¡Huuuhuuu! —aúlla haciendo temblar las paredes de mi habitación, autoparodiándose con los dos brazos hacia delante y los dedos separados.

Ahora conozco un poco al gigante, pues aun así, me río entre dientes, tengo un poco de miedo. Como si hubiera amaestrado a un tigre y, un buen día, el susodicho tigre convertido en adulto se divirtiera gruñéndome a dos centímetros de la cara.

Lo imagino entrando en las tiendas de música, tratando de vender los sollófonos. Antes de saludar ya habría tirado tres guitarras y dos saxofones. Y todos los músicos encoletados, con sus solos de blues blanco y blando en unas guitarras de última generación, se pegarían el susto de sus vidas. Lo veo ahí, con la cabeza hacia delante, tocando el sollófono y agitando sus enormes brazos…, los sonidos de fantasmas sustituyendo a las inmundicias de metal-blues mediocres que se oyen habitualmente, todos esos esnobzuelos que te miran por encima del hombro cuando vas a comprar solo una armónica en lugar de un ordenador o una guitarra eléctrica de once cuerdas con el sonido de saxofón de Jean-Jacques Goldman opcional, ¡todos esos técnicos a la fuga! ¡Ay, sí!

Jack corta en seco mis pensamientos:
—Bueno, ahora, vamos allá —dice.

Entusiasmado con sus historias, casi había olvidado por qué Jack estaba ahí. Vamos a pasar detrás de las sombras para llegar al país de los muertos.

Me sentó bien oírlo hablar de algo distinto que de la muerte y el vacío. No hay nada más aburrido que alguien que solo habla de su trabajo. Jack sabe distraerme, pienso que eso debe de formar parte de su manera de curarme. A los niños se les cuenta historias para ayudarlos a dormir, yo soy como un niño viejo que se orienta hacia los asomníferos desde hace mucho tiempo, pero tengo un gigante que me ayuda a soñar.

En el pasillo, los cuadros de papá parecen vigilarnos. Jack se arrodilla y rebusca en los bolsillos interiores de su enorme redingote. Saca un maletín todo abollado. Parece un técnico de televisores.

—Con esto nos guiaremos —dice al tiempo que me muestra una linterna con un ojo en lugar de bombilla—. Es un ojo de gato, permite ver a través de la noche y las sombras.

Jack se pone unos guantes negros. Podría decirse que acaba de enfundarse dos arañas gigantes. Se coloca el ojo de gato en la frente con cinta adhesiva. Parece un espeleólogo que se dispusiera a entrar a robar en algún sitio. Ausculta la casa, rozando las paredes con la punta de sus dedos enormes. Yo le sigo como si fuera su sombra, pero en pequeño. Y ahí está, metiendo las manos entre las sombras cortantes de la casa. Tus peinecillos y tus cosas de maquillaje están engastados en ellas. El gigante las tocas como un modisto examinando un tejido, deslizando la tela entre el pulgar y el índice. Luego se pone a dar golpecitos en las paredes con un pequeño martillo de acero semejante a los que utilizan los médicos para comprobar los reflejos. Coloca delicadamente la oreja contra las paredes, y parece que escucha cómo late el corazón de la casa. Yo pienso que si oye algo, más bien será el reloj de cuco, o los ratones del desván, pero prefiero no decir nada.

Palpa en el hueco de las escaleras, el desván, la cocina, el salón, el pasillo, palpa precisamente el reloj de cuco, luego el tirador de tu habitación. Le susurro «¡no...!», él me dice que sí, que es por ahí. Se apoya en la sombra de la puerta de tu habitación y la sombra se mueve. Lo veo hacer el gesto de llamar a la puerta; sin embargo, no produce ningún sonido.

—Ok... —se le escapa—. Déjame ver un poco tu sombra —añade en un tono seco.

Me doy la vuelta y abro los brazos. Me pasa la palma de la mano por la espalda y estira de los extremos.

—Bien, ¡estás más o menos aerodinámico! Pareces el fantasma de un pájaro... ¡o el de un abanico!

Nunca sé si está de buen humor o de un humor de perros, es tan voluble como el tiempo en el monte: en fin, al parecer es una enfermedad normal en un gigante.

Me da un ojo de gato, igual que el suyo en modelo reducido. Me lo pongo en la frente, estoy preparado. Es el gran día, mejor dicho, la gran noche.

Quiero encontrarte, a ti y a tu luz, y me dispongo a sumergirme en las catacumbas del mundo para ello. Hace meses que trabajo para construirme una sombra lo suficientemente sólida para permanecer vivo, mientras alimento la secreta esperanza de ir a tu encuentro al país de los muertos. Llegó el momento. Estoy nerviosísimo, como si fuera a subir al escenario por primera vez, o por última, en realidad, como siempre que subo al escenario. Quizá vuelva a verte. Estoy en un estado de euforia y de miedo tan intenso que me cuesta discernir qué es alegría y qué sufrimiento.

—¡Venga, tenemos que ir! —dice—. Si dejamos abierto demasiado tiempo, en tu casa nos encontraremos con fantasmas por todas partes.

VI

Entramos en el país de los muertos. El cielo es blanco como el interior de una nube, y las estrellas negras como agujeros de tinta. Noche en mitad del desierto, en negativo.

Efectivamente, hace un frío polar. Todo está helado y nieva sin parar. Los copos son negros, pesados, auténticas balas de revólver. Los fantasmas se pasean con murciélagos muertos a guisa de paraguas.

Algunos de ellos se parecen a los vivos, pero en versión translúcida, como cubitos de hielo sacados del frigorífico con esqueletos dentro. Jack me explica que se trata de muertos de «primera edad» que no han terminado la mutación. Otros recuerdan a pájaros sin patas. A fuerza de volar, han desarrollado las alas, al tiempo que han desaparecido los pies y las pantorrillas. Observo cómo pasan, justo por encima de mi cabeza, en manadas o en solitario. Parecen vestidos de novia flotantes que el viento hubiera esparcido. Después de todo, yo con mi sombra me asemejo bastante a ellos. Dejo el puño cerrado en la mano del gigante.

El suelo es inestable y nos cubre los pies. Nadie se preocupa de asfaltar, porque todo el mundo vuela.

La bruma es negra y los muertos la inhalan exactamente como me contó Jack. Podría decirse que la niebla está en danza y emite un sonido.

—Aquí no es necesario el sollófono para oír un bonito canto de fantasma —ironiza.

Le respondo con un «sí» muy breve pues estoy petrificado. El frío y el miedo, aun con un gigante para protegerse, no es lo ideal para charlar. Me gana la melancolía de los fantasmas y me brotan las lágrimas. El gigante me lo había advertido, por tanto cogí el walkman. Pongo a Jonathan Richman: efecto antilloro garantizado.

Creo reconocerte en el cuerpo de un pajarillo, con la pancita regordeta y las alas translúcidas como las de una mariposa, con frufrúes de vestidos de faralá en los extremos. Se me acelera el corazón y me tiemblan las piernas. Me gustaría tanto que fuera cierto, que fueras tú, que hubieras logrado resurgir en tu nuevo país. ¡Una mariposa andaluza, que baila volando e inventa mil y una maneras de cocinar la niebla!

No estoy seguro de que seas tú, no estoy acostumbrado a verte volar. Principalmente, porque no quisiste nunca subir a un avión. Aun así te llamo, tú no respondes. Empiezo a quitarme la sombra deprisa para que me reconozcas. ¡Podría desnudarme en una hoguera y daría lo mismo!

—Quizá no sea ella… Y no te quites la sombra así, ¡no estás preparado! —me dice con dureza el gigante—. No vuelvas a hacer eso, o te llevo de vuelta inmediatamente.

Me vuelvo; el pájaro ha desaparecido.

Los árboles son de hierro, sus ramas heladas recuerdan a las perchas de un telearrastre lunar. Aquí hasta las flores tienen aspecto de esqueleto. Ningún fantasma se posa en ellas, por miedo a quedarse pegado. Entre los árboles corre un río de mercurio que desemboca en el cielo blanco. Jack me explica que ese cauce de agua se forma al fundirse las estrellas.

—Cada estrella que deja de brillar va a engrosar la corriente de ese río. Está tan frío que ni siquiera los muertos se bañan en él: ¡menos ciento cuarenta y siete grados!

Los reflejos plateados salpican el cielo como un geiser que explotara a cámara lenta: la eternidad es larga, hay que administrar el esfuerzo. Todo lo que aquí veo me aterroriza y me atrae por su increíble belleza.

Un fantasma azul oscuro agita sus alas llenas de niebla a pocos centímetros de mi cabeza. Parece una llama de mechero. Otro bosteza y se estira justo delante de mí. Tranquilamente sentado en un hombro del gigante, que no se ha dado cuenta de nada, un tercer fantasma minúsculo mordisquea una tarta nupcial de nubes. Lo miro, me recuerda a un loro con cara de Sim. Le da a Jack un aspecto de pirata del espacio.

—¿Has hecho tú esa tarta? —le pregunto.

—¿Yo? ¿Yo? —responden al mismo tiempo el gigante y el minúsculo fantasma.

Jack vuelve la cabeza hacia su izquierda y descubre al fantasma sentado en su hombro.

—Largo de aquí —dice con una voz más grave que un terremoto.

El minúsculo fantasma, visiblemente aterrorizado, aplasta con nerviosismo los petisús de bruma entre los dedos. Le chorrean y gotea por toda la espalda del gigante.

Trascurren unos segundos. Nadie se mueve.

El minúsculo fantasma con cara de Sim se dispone a responder a mi pregunta.

—¿Tarta? ¿A qué tarta se refiere?

Jack le sopla con violencia.

—¡Me horroriza que hablen a mis espaldas!

El minúsculo fantasma tiembla, su esqueleto suena como un cascabel. Jack pone su mirada de Drácula y le apunta con el índice.

—¡Entoooonncllles! ¿Cómo te llamas, jovencito?

—Ni… Ni… Nicolas —tartamudea.

—Pues bien Nicolas, ¡creo que deberías llamarte Nuez!

—Ah, ¿sí?

—Sí, porque voy a aplastarte la cabeza entre mis dedos y a comer las cositas de dentro.

El sonido de cascabel es cada vez más fuerte y su ritmo se acelera.

—Nog, nog, nog —dice con un claro acento de Toulouse.

—¡Sí!, ¡sí!, ¡sí! ¡Y oirás cómo crujes, porque meteré tus orejas entre mis molares! Un ruido así. —Hace crujir los huesos de sus dedos–. A menos que prefieras informarnos a mi amigo y a mí respecto al origen de esa tarta que acabas de engullirte en mi hombro.

El minúsculo fantasma está completamente poseído por el pánico, es incapaz de pronunciar dos sílabas seguidas, se oye más el chasquido de sus huesos que el sonido de sus palabras.

—Es, es la…, es la señoño…

—Bueno, venga, bromeaba, no voy a comerte, ¡eh! ¡Está todo bien! ¿Puedes decirnos de dónde procede esa tarta? Te traeremos una o dos si quieres –dice el gigante sonriendo, lo cual no lo hace menos amenazante.

El minúsculo fantasma recobra despacio el ánimo, luego la respiración.

—¡Vamos, colega! Bromeaba, ¿estás bien?

—Sí, bueno, ¡me has asustado, eh!

—Entonces, ¿de dónde procede todo esto? –dice el gigante señalando con el dedo los restos de nubes aplastadas en su hombro.

—Lo prepara una señora, no lleva aquí mucho tiempo, pero enseguida se puso a inventar recetas. Se dice que, cuando vivía, era una hechicera en la cocina. Acaba de escribir un librito: *El libro de magia de los golosos*, donde explica cómo confita las brumas, luego las solidifica mojándolas en el río de plata que utiliza para hacer salsas. Añade corteza de árbol y se dedica a las mezclas. Prepara de todo con la bruma, paellas blancas y azules, tortillas que pone a calentar durante horas contra su vientre, y tartas nupciales con petisús que recorta de los cumulonimbos más carnosos de todo el país de los muertos, justo encima de Londres.

—¿Y dónde podemos encontrar a esa señora? —pregunta el gigante.

—Hay que volar lo más alto posible del cielo, allí es donde hace las compras. Solo trabaja con los mejores productos, las nubes frescas y todo eso, ese es su truco. La última vez que la vi, me contó que preparaba una crema de día para los muertos. «Si tuviera aunque solo fuera algo de canela, podría perfumar un poco todo esto, pero nos las arreglaremos con los medios con los que contamos», añadió. Un chisme que protegería del sol a los que deciden regresar a ver a los vivos y les permitiría tener mejor cara por si, casualmente, se cruzasen con alguna persona cercana dotada de visión.

—¿Y funciona? —pregunta Jack.

—No lo sé... En todo caso, se habla mucho de sus platos y se ha hecho famosa en los cuatro confines del país de los muertos. Resulta tan reconfortante tener la impresión de comer de nuevo como los vivos en lugar de inhalar todo el tiempo. Es bruma, de acuerdo, pero ella añade una pizca de fantasía. ¡Uy!, hay que probar su sopa de nubes con fideos de copos... ¡Uno se siente revivir!

—Bien, bien, Nicolas, gracias por tu cooperación. Nos marcharemos en busca de esa señora...

Miro a Jack, encoge sus hombros de gigante y me suelta un «Let's go» con acento del Macizo Central.

—¡Se intentará! —añade.

—Aquí puedes aprender a volar. Resulta fácil, ¡hasta un gordo como yo lo consigue!

—¡Tú no eres gordo, eres grande!

—¡Pesado, en cualquier caso! Mira, inflas los pulmones, contienes la respiración y abres los brazos...

—¿Así?

—Sí, perfecto... ¡Está bien, ya puedes respirar! Si pierdes altitud, vuelve a la apnea, pero despacio, no a bocanadas, de lo contrario hiperventilarás y te encontrarás clavado en un árbol.

Realmente tengo la impresión de ser un puto pájaro. Ni el menor ruido, solo el soplido del viento que me acaricia los oídos. Le hago un gesto al minúsculo fantasma, que aún es más minúsculo visto desde aquí. Pruebo: impulsión piernas dobladas, aleteo de muñecas, estiramiento del cuerpo, ¡vuelo hacia ti! ¡Esta vez es seguro!

El gigante, con pinta de viejo Boeing sin galvanizar, patrulla a cuarenta y cinco grados. A su lado, me siento un antiguo avioncillo de la guerra de 1914. La euforia me recorre el espinazo y me olvido por completo de que estoy en el país de los muertos. ¡Vuelo! Dejando a un lado algunos besos bien dados y media ola que cogí haciendo surf, jamás en mi vida he tenido una sensación tan agradable.

Trepo los estratos plateados de ese cielo lechoso y hago slalom entre las estrellas negras. Mil albas blancas se alzan sobre mis hombros, salto de la noche al día, de la sombra a la luz.

Esta vez ya está, descuelgo la luna de verdad, tengo la inconsciente y loca convicción de que te encontraré. Te encontraré curioseando por las nubes altas, eso seguro. En las estelas de los pájaros fantasmas, en los brazos del sol negro, que aquí, cansado de arder, se ha reconvertido en una máquina de sombras, ¡vuelo hacia ti! Tejo como una araña celeste el hilo que une los sueños y la realidad, y en la tela embarco la esperanza absoluta.

Todo me da en la cara a la vez: la muerte, el frío, el miedo.

El cielo blanco se resquebraja. Ruido de alas magulladas, truenos de metal. Mi sombra se hace jirones, siento cómo se desgarra. Me produce la misma sensación que cuando me rompí el tobillo, toda mi alma se desliza hasta los talones.

En ocasiones, esto me ocurre al subir al escenario, estoy bien y de repente soy consciente de que hay varios centenares de personan pendientes de nosotros y me vengo abajo como una vieja cuerda de tender.

El walkman se me ha desenganchado, lo veo desaparecer entre las nubes; la cartera se la tragan las nubes; también las llaves: todo cae rodando.

—¿Qué coño haces con toda esa mierda en los bolsillos? —me grita Jack.

Empiezo a toser, pierdo altitud, tengo la cabeza hacia abajo y se me llena de sangre. Trato de mantener la sangre fría, pero no recupero el aliento. La nieve dispara contra mí, los copos me explotan en la frente y me nublan la vista, creo que también estoy llorando. La nieve se duplica y se pega a mi piel, se me pone la carne de gallina. Cada copo me hunde un poco más la cabeza hacia abajo. Me pesan las alas, parecen brazos. Aún vuelo, pero a ras de suelo. Esquivo un primer árbol por los pelos.

—¡Respira! —me grita Jack.

El segundo árbol resulta fatal. Me engancho los pies en las ramas y empiezo a dar vueltas alrededor de su cúspide como si me hubiera agarrado de los tirantes. No me da tiempo a sentir dolor ni miedo. Estoy colgado como una vieja figurilla en un árbol de Navidad. Esto me recuerda la sensación de humillación que viví hace veinte años, cuando el entrenador de judo me colgó del perchero por el cuello del quimono porque me sorprendió imitando cómo hacia las reverencias en el tatami delante de mis amigos: de manera que un cuarto de hora de perchero.

Me encuentro en medio del país de los muertos sin haber logrado aunque solo hubiera sido verte, y tengo un poco de ganas de vomitar, debido al vacío.

¡Aparece! En el cielo blanco con forma de estrella negra o justo aquí, en mi hombro, ¡Ven! Estoy cansado de que estés muerta, cansado de darme de golpes con el puto vacío, cansado…

Jack acude a descolgarme, exactamente igual que papá descuelga al viejo Papá Noel escuálido que domina en lo alto del abeto todos los años.

—Se ha agujereado tu sombra, ven a esconderte en la mía para el camino de vuelta —dice.

Dobla la rodilla izquierda, luego la derecha y se tumba de espaldas apoyado en los codos.

—Trepa a mi estómago y agárrate, pequeño koala, ¡regresamos a casa!

—Entonces, ya está, se acabó, ¿no encontraremos a mi madre?

—Son las cinco de la mañana, tenemos que regresar antes de que amanezca. Las puertas de las sombras se cierran al alba y no estoy seguro de poder abrirlas de nuevo antes de varios días.

—¿Y no podemos quedarnos varios días?

—¿Qué ibas a comer tú aquí? ¡Y tu padre se preguntaría dónde coño te has metido! Anda, vamos, volvemos a casa.

Me sujeto con firmeza a las costillas descarnadas de Jack. Visto de cerca, se parece a un órgano de iglesia. El corazón le late lentamente. Escucho su respiración, larga, como una ráfaga de tramontana, y eso me tranquiliza.

—¿No irás a vomitar, eh?

—No, no...

No estoy tan seguro, pero bueno, de momento aguanto. Esto de que un gigante te lleve sobre su estómago es tan movido como ir en un inmenso camello. Miro el cielo blanco y las estrellas negras desfilar a cámara rápida. Tengo la impresión de estar en *La guerra de las galaxias* cuando las naves pasan al hiperespacio.

Pienso en ti. La esperanza de verte creció de golpe cuando el minúsculo fantasma contó la historia de la cocinera de las nubes. Por más que me preparase con mi sombra para resistir sin volver a verte, mantenía a escondidas la idea de que tal vez, al bajar al país de los muertos, te vería.

No pedía demasiado, solo saber cómo te iba, abrazarte un poco, o al menos imitar la manera de abrazarte si te has convertido en un fantasma de pájaro o así. Y al regresar, habría podido contar todo a Lisa y a papá.

Ellos habrían aprendido a usar una sombra con la ayuda del gigante y, de vez en cuando, bajaríamos todos juntos para llevarte pasteles auténticos, fotos e iríamos a cambiarte las flores.

—¡Ya estamos! —me advierte el gigante.

—¡He vomitado! —advierto al gigante.

La frontera de las sombras aparece netamente en el horizonte. Estoy como un loco de tamaño minúsculo en una tabla de ajedrez gigante, blanco y negro hasta donde alcanza la vista. En la abertura que separa los dos mundos, hay una cantidad incalculable de gente que está en equilibrio; son medio humanos, medio fantasmas y gritan con los párpados cerrados.

—Están muriendo, tenemos que dejarles llegar tranquilos —dice el gigante.

Se me cierra la garganta a medida que nos acercamos. Hemos de pasar justo al lado de esos moribundos para regresar a casa.

El sonido de sus gemidos se acentúa. Jack pone sus manos en mis orejas para atenuar el volumen sonoro, y luego las pone en mis ojos. También yo empiezo a gritar tan fuerte como los muertos; Jack me coge con fuerza. Yo trato de escapar, no sé de qué. Jack me estrecha con más violencia cada vez. Si nos viesen desde lejos, podría parecer que me está matando. Sus dedos me ciegan, ahogan mis ojos. De nuevo veo tus últimos momentos, 19.25, 19.26, 19.27, 19.28, 19.29. Podría derrumbar el hospital de una sola patada. Tengo más fuerza que un gigante y menos fuerza que un pajarillo. 19.30. Papá me tiene cogido. ¿Y él a qué se coge? Lisa, ¿a qué te coges tú?

—Se acabó —dicen las enfermeras con los párpados bajados como estores.

—Se acabó —me dice el gigante dejándome sobre mi cama.

Cuando era aún más pequeño que hoy, papá era el gigante que me llevaba a mi cama. Yo me dormía delante de la tele. Pero ahora que soy un gran pequeño grande, necesito un gigante para que me transporte a mi habitación.

VII

Estoy sentado en mi cama, tiemblo igual que después de un berrinche. Se deja oír el primer piar de los pájaros y el día empieza a filtrarse bajo los postigos. El gigante tiene muy mala cara, pero tampoco es muy distinta a su cara habitual.

—Tengo sueño —dice, y le lleva mucho tiempo, de tan lento que lo dice.

No me siento con demasiada fuerza para quedarme solo y tomarme la pastilla para dormir en pleno día.

—¿Te apetece que nos tomemos un trago o qué?

—Ya te he dicho que no bebía… Lo único que me gusta beber es el perfume de mujer. Ese es el único alcohol que puede emborrachar hasta las trancas a un gigante dándole también una bocanada de flores del campo, ¡por favor!

—Voy a buscarlo al cuarto de baño, deben de quedar algunas muestras de mamá. Me gustaría que te quedaras un poco, que charláramos y todo eso.

—De acuerdo, ve a buscarme algo de beber. Pero cuidado, soy un gigante distinguido, solo bebo Chanel, ¡eh!

Me levanto y me deslizo hasta el cuarto de baño en calcetines. Vacío el contenido de una decena de muestras en mi vaso para lavarme los dientes y le llevo el cóctel a Jack.

—Humm, parece un vino semidulce, pero hecho con flores. ¿Quieres probar? —dice bebiéndose el contenido del vaso de un trago, como un digestivo.

—No, gracias, ya he vomitado.

—¡Al menos brindarás conmigo para despedirme!

—¿Cómo es eso?

—Pues bien, ahora ya no me necesitas. Si te dejo tu sombra más tiempo, harás tonterías, como volar en el cielo de los vivos, y caer mal sobre los tobillos llenos de esguinces, o permanecer invisible demasiado tiempo, y entonces, te arriesgas a una depresión. Incluso serías capaz de volver al país de los muertos y no regresar nunca más.

Oigo su vieja voz reblandecida por el alcohol, me da la impresión de que me abandona una chica de la que estoy enamorado.

—Con estas historias de las sombras he consolidado un poco tu corazón, lo he reeducado. No obstante, ya te has relacionado demasiado con la muerte. Hasta has ido al país de los muertos, lo que se corresponde con la dosis de sombra médica más fuerte que pueda administrarse a un vivo. La mayoría de ellos regresan… muertos. La vacuna corre por tus venas. Ya es hora de que te reconcilies de nuevo con la vida.

Lo oigo hablar y ya tengo la sensación de rememorar un recuerdo.

—No vas a ir acarreando una sombra de gigante toda tu vida, ¿eh? No pongas esa cara de gato apaleado, acabo de darte una buena noticia. ¿No te alegraste cuando te quitaron la escayola del tobillo?

—¡Qué dices! ¡Estaba aún más zopenco que con el yeso!

—Al principio te costará un poco ya que requiere un tiempito de adaptación. Pero al final, es más natural caminar con tu verdadero tobillo. Tienes muchas herramientas para seguir soldando tu corazón, amor a montones, historias que contar, las canciones, los libros, ¡vamos, hombre! *SPRRRINNNGTIME!*

—Si piensas que estoy preparado, quítame la sombra que me prestaste. Pero tú no tienes por qué irte, ¿sabes?, no volveré al país de los muertos. Sin embargo, he imaginado cientos de veces el maravilloso momento del encuentro con mamá. La veía abrazándome como solía hacer. Tú, tú nos llevabas a los dos, y formábamos una extraña muñeca cigüeña que pasaba por entre las sombras. Llegábamos a casa a través de las sombras del armario, yo subía los peldaños de la escalera de cuatro en cuatro para despertar a papá, y nos poníamos alrededor del teléfono con el altavoz conectado para anunciar el regreso de mamá a Lisa…

»No obstante, ahora que he ido hasta allí, es diferente. Me he visto morir cuando hemos pasado del otro lado de las sombras. No volveré mientras viva. Algo me dice que el testimonio del minúsculo fantasma sobre la cocinera de las nubes es cierto. Antes de ir, estaba enloquecido de melancolía, pero visitar el otro lado me ha infundido una especie de alegría. Eh, por eso no voy a esforzarme para aceptar este duelo imposible, pero, de momento, se acabó el país de los muertos. *Sppringtime*, como tú dices. No quiero quedarme allí, no regresaré mientras viva.

—Bueno, ¡parece ser que el tratamiento empieza a funcionar!

De pronto, el gigante comienza a vacilar y el tono de su voz se reblandece aún más.

—Está bueno este champán de flores del campo, ¿no tendrías un poquito más…?

Miro por encima del hombro, mi sombra flota hecha jirones, un auténtico harapo negro. Se parece algo a Albator, sin la cara de muerto. Trato de fijar la imagen de Jack en mi memoria con los dos ojos a modo de máquina de fotos. «Inmortalizar», como suele decirse.

Está pasablemente borracho, ahora se le traba la lengua, parece un motor encharcado que no consigue arrancar.

—Hala, ven aquí que termine el trabajo.

Estoy tumbado en la cama, pero me siento tan a gusto como en el dentista. El corazón me late por todas partes, en los pulmones la respiración es entrecortada.

Jack me toquetea en la espalda. Experimento la misma sensación de frío que en el aparcamiento del hospital, un año antes. Estoy tendido cerca de sus dedos, como si fueran agujas.

—Entonces, ¿has leído los libros que te di?

—Más bien los he hojeado. Una de las historias me ha parecido muy elocuente.

—¿Ah, sí?, ¿Cuál?

Me doy perfecta cuenta de que intenta desviar mi atención. La última vez que me lo hicieron fue mientras me colocaban el material para hacer *puenting*. Su mano izquierda se contrae sobre mis omóplatos, y los cinco dedos, uno a uno, se enganchan como un clip a mis huesos.

—La de los enamorados que se besan de una manera tan tierna por la noche que sus sombras se intercambian.

—Ah, sí. El tipo se levanta al día siguiente y se percata de que su sombra tiene pechos... —responde Jack como si nada.

—Y como él se pasa todo el día mirando su sombra, se choca con todo, y por la noche, de camino a su cita, lo atropella un coche mientras admiraba su sombra en un retrovisor…

—Está tan abollado que la chica no lo reconoce, lo ve como un monstruo y huye corriendo. Él la persigue gritándole que quiere, al menos, devolverle su sombra (al chico ya le gustaría empezar de nuevo un poco más con las cosas de abrazos y besos), lo cual no soluciona nada, porque además de tomarlo por un monstruo, piensa que está loco…

—Él se ve con la cara del Hombre Elefante, pero conserva la sombra de la chica de sus sueños…

—Pues sí, más vale no envejecer, ¿eh?, ¡ja!, ¡ja!

Estallamos en una carcajada cómplice.

De pronto, siento una corriente de aire por toda mi piel e incluso por dentro. Mis huesos empiezan a crujir. Pareciera oírse al fantasma bailarín de Fred Astaire. Se me desboca el corazón y se me sale del pecho, como una vieja placenta.

El gigante se retira la linterna ojo de gato de la frente y mete los jirones de mi sombra en uno de los bolsillos interiores del redingote. Yo tirito mientras lo veo hacer. Me siento como un pájaro desplumado al que dijesen «ahora a volar», cuando ya solo respirar me parece complicado.

—*It's time to say goodbye, little man* —dice el gigante.

Me estrecha la mano; el pulgar me aprieta hasta el codo.

—¡De todos modos, tu sombra era demasiado grande para mí!

Jack abre la cicatriz que le sirve de sonrisa a guisa de respuesta.

Se levanta y permanece inclinado para no pegarse otra vez contra el techo. Pone la postura de árbol muerto. Ay, me gustaría tanto que se quedase, que continuara brotando el suelo de mi habitación, sus pies-raíces plantados en la tierra y sus dedos atrapados entre las estrellas. Quiero más. Su humor de terremoto y sus historias de sombras, quiero más. La distribución de escalofríos, la sensación de que todo es posible, volar de noche o esconderse en un árbol, ¡quiero más!

–Echaré de menos todo esto.

–¿Qué?

–A ti.

–Yo también, *little man*…, pero yo no soy sino un «barquero», llevo a la gente de un lugar a otro, ese es mi trabajo. –Marca una de esas pausas un poco larga de las que él tiene el secreto–. Soy una especie de cigüeña que acompaña a los recién nacidos de una punta a otra del cielo, durante el viaje los cuido como si fueran mis propios hijos, luego, una vez hemos llegado a nuestro destino, he de desaparecer. Nosotros hemos llegado a buen puerto; ahora tengo que marcharme… *I've got to go, little man!* –dice arrastrándose hacia las cortinas blancas.

Oigo el ruido de los postigos que golpean al viento cuando la ventana está cerrada. Es Jack que parpadea. Un largo crujido recorre las paredes, como si mi habitación fuera a abrirse. Los postigos siguen golpeando y el crujido se intensifica, un montoncito de copos se posa en la moqueta y en mi cama. Una fina capa de polvo cubre los pómulos de Jack…

Lo miro alejarse despacio hacia la parte alta de la urbanización. Sus pasos resuenan como viejos truenos, y oigo los ruidos de las cosas que se rompen; ha debido de pisar un coche mal aparcado.

Las farolas parecen lámparas de mesa que se hubieran plantado en la acera. Es abiertamente de día, pero aún están encendidas. En cambio, las estrellas y la luna se fueron.

Mientras Jack desaparece por las estribaciones de Vercors, yo me pongo a canturrear: «Giant Jack is on my back, I was trembling like a bird with no feather on the skin, I had gasoline all over my wings, he looks like a storm with a solid body, he looks like a storm, Giant Jack is on my back». Sujeto entre los dedos el relojito roto.

A lo lejos, lo oigo responder como un cañón, con su voz apetardada de cantante melódico-Boeing: «I'm on your back man, cold like ice, but I will Project you well… hey it's too large for a "little me"».

El sonido de su voz se atenúa, poco a poco, hasta el silencio. Una última sacudida de su risa. Hacer cosquillas a un contrabajo viviente haría exactamente el mismo ruido. Y después nada más. Último eco y silencio total.

EPÍLOGO

He pasado la noche en blanco, pero hoy no me volveré a acostar. Ya veremos mañana por la noche. Ya no me queda más que una pequeñita sombra de chico como la de todo el mundo. Lo compruebo en la pared del pasillo, estoy bastante contento de haberla recuperado, ligera y yo ligero dentro de ella. Fácil de manejar, casi invisible: los reflejos naturales vuelven rápido.

Tengo un poco de frío, sin duda, por la falta de sueño. Me llega un olor a chocolate caliente que procede de la cocina. Para una vez que me levanto temprano, iré a desayunar con papá.

AGRADECIMIENTOS

Gracias a Olivia de Dieuleveult por su gigante acompañamiento.

Gracias a Marion Rérolle, a Laurence Audras y a Joann Sfar por las preciosas brújulas que me ofrecieron de forma desinteresada. Y a Benjamin Lacombe.

La alargada sombra del amor, de Mathias Malzieu
se terminó de imprimir en septiembre 2013 en
Drokerz Impresiones de México, S.A. de C.V.
Venado Nº 104, Col. Los Olivos, C.P. 13210,
México, D. F.